KB163920

NEW 서울대 선정 인문고전 60선

06
루소 사회계약론

NEW 서울대 선정 인문 고전 ❻

[만화] 루소 **사회계약론**

개정 1판 1쇄 발행 | 2019. 8. 21
개정 1판 2쇄 발행 | 2021. 9. 27

손영운 글 | 팽현준 그림 | 손영운 기획

발행처 김영사 | 발행인 고세규
등록번호 제 406-2003-036호 | 등록일자 1979. 5. 17.
주소 경기도 파주시 문발로 197 (우10881)
전화 마케팅부 031-955-3100 | 편집부 031-955-3113~20 | 팩스 031-955-3111

값은 표지에 있습니다.
ISBN 978-89-349-9431-2
ISBN 978-89-349-9425-1(세트)

좋은 독자가 좋은 책을 만듭니다. 김영사는 독자 여러분의 의견에 항상 귀 기울이고 있습니다.
전자우편 book@gimmyoung.com | 홈페이지 www.gimmyoungjr.com

이 도서의 국립중앙도서관 출판예정도서목록(CIP)은 서지정보유통지원시스템 홈페이지(http://seoji.nl.go.kr)와
국가자료종합목록시스템(http://www.nl.go.kr/kolisnet)에서 이용하실 수 있습니다. (CIP제어번호 : CIP2018042469)

어린이제품 안전특별법에 의한 표시사항
제품명 도서 제조년월일 2021년 9월 27일 제조사명 김영사 주소 10881 경기도 파주시 문발로 197
전화번호 031-955-3100 제조국명 대한민국 ⚠주의 책 모서리에 찍히거나 책장에 베이지 않게 조심하세요.

NEW
서울대 선정
인문고전
60선

06

루소 사회계약론

손영운 글 · 팽현준 그림

주니어김영사

〈NEW 서울대 선정 인문고전60〉이 국민 만화책이 되기를 바라며

제가 대여섯 살 때 동네 골목 어귀에 어린이들에게 만화책을 빌려주는 좌판 만화 대여소가 있었습니다. 땅바닥에 두터운 검정 비닐을 깔고 그 위에 아이들이 좋아하는 만화책을 늘어놓았는데, 1원을 내면 낡은 만화책 한 권을 빌릴 수 있었지요. 저는 그곳에서 만화책을 보면서 한글을 깨쳤고 책과의 인연을 맺었습니다.

초등학교 때는 용돈을 아껴서 책을 사서 읽었고, 중학교 때는 학교 도서 반장을 맡아 도서관에서 매일 밤 10시까지 있으면서 참 많은 책을 읽었습니다. 그 무렵 헤밍웨이의 《노인과 바다》를 손에 땀을 쥐며 읽으면서 인생에 대해 고민했고, 헤르만 헤세의 《수레바퀴 아래서》를 읽으며 사춘기의 심란한 마음을 달랬습니다. 김래성의 《청춘 극장》을 밤새워 읽는 바람에 다음 날 치르는 중간고사를 망치기도 했습니다.

당시 저의 꿈은 아주 큰 도서관을 운영하는 사람이 되어 온종일 책을 보면서 책을 쓰는 작가가 되는 것이었습니다. 나이가 들고 어느 정도 바라는 꿈을 이루었습니다. 큰 도서관은 아니지만 적당한 크기의 서점을 운영하고, 글을 쓰는 작가가 되었거든요. 저는 여기에 새로운 꿈을 하나 더 보탰습니다. 그것은 즐거운 마음과 힘찬 꿈을 가지게 해 주고, 나아가 자기 성찰을 도와주는 좋은 만화책을 만드는 일이었습니다. 이렇게 해서 만든 책이 바로 〈서울대 선정 인문고전〉입니다. 서울대학교 교수님들이 신입생과 청소년들이 꼭 읽어야 할 책으로 추천한 도서들 중에서 따로 60권을 골라 만화로 만든 것입니다. 인류 지성사의 금자탑이라고 할 수 있는 고전을 보기 편하고 이해하기 쉽도록 만화책으로 만드는 일은 쉬운 일은 아니었습니다. 약 4년 동안에 수십 명의 학교 선생님들과 전공 학자들이 원서의 내용을 정확하게 전달할 수 있도록 밑글을 쓰고, 수십 명의 만화가들이 고민에

고민을 거듭하면서 만화를 그려 60권의 책을 만들었습니다.

〈서울대 선정 인문고전〉이 완간되었을 무렵에 우리나라에 인문학 읽기 열풍이 불기 시작했습니다. 〈서울대 선정 인문고전〉은 인문학 열풍을 널리 퍼뜨리는 데 한몫을 하면서 독자들의 뜨거운 사랑과 관심을 받았습니다. 덕분에 지금까지 수백만 권이 팔리는 베스트셀러가 되었습니다. 그 사랑에 조금이나마 보답을 하기 위해 《칸트의 실천이성 비판》, 《미셸 푸코의 지식의 고고학》, 《이이의 성학집요》 등 우리가 꼭 읽어야 할 동서양의 고전 10권을 추가하여 만화로 만들었습니다.

〈서울대 선정 인문고전〉은 어린이와 청소년이 부모님과 함께 봐도 좋을 만화책입니다. 국민 배우, 국민 가수가 있듯이 〈서울대 선정 인문고전〉이 '국민 만화책'이 되길 큰마음으로 바랍니다.

손영운

인간의 자유와 평등을 깨우쳐 준 《사회계약론》

프랑스 국민들은 매년 7월 14일을 '혁명 기념일'로 지낸답니다. 그날 파리에서는 시민들이 모두 나와 멋진 불꽃놀이를 하면서, 지금의 프랑스가 있게 한 자유·평등·박애의 혁명 정신을 되새기지요. 하지만 원래 이 날은 1789년 프랑스 국민들이 바스티유 감옥을 습격하여 프랑스 대혁명을 일으킨 날이었어요.

프랑스 대혁명이 일어날 당시에 프랑스는 오늘날과는 판이하게 달랐어요. 소수의 왕족과 귀족 그리고 성직자들로 구성된 지배 계급이 대다수의 국민들을 착취하고 지배하던 아주 불평등한 시대였거든요. 이들은 권력과 재산을 양손에 움켜쥐고 가난한 국민들을 노예 다루듯 했고, 그들이 가진 것을 빼앗아 사치스러운 생활을 했어요. 그래서 프랑스 국민들은 주린 배를 달래며 하루하루 힘들게 살아야 했답니다. 그런데 이러한 프랑스 국민들에게 혁명의 불길을 당긴 책이 있었는데, 바로 루소가 쓴 《사회계약론》이었어요.

프랑스 국민들은 《사회계약론》을 통해 존엄한 인간으로서 자신들의 권리를 깨달았답니다. 그리고 현실 사회의 부도덕함과 불행의 근원은 운명이 아니라, 인간이 만든 잘못된 제도라는 것을 깨달았지요. 그래서 프랑스 혁명의 지도자들은 파리 거리에서 루소의 《사회계약론》을 낭독하며 국민들의 의로운 투쟁을 촉구하기도 했어요. 당시 프랑스의 국왕 루이 16세는 감옥에 갇혀서 루소와 볼테르의 글을 읽고, '나의 왕국을 쓰러뜨린 것은 바로 이 두 사람이다.'라고 할 정도로 루소의 《사회계약론》은 프랑스 대혁명에 큰 영향을 주었답니다.

　루소는 《사회계약론》을 통해 '모든 인간은 자유롭고 평등하며, 자유와 평등을 보장하는 이상적인 정치 체제는 민주주의다.'라고 주장했어요. 이러한 주장은 근대 유럽의 여러 나라에서 일어난 시민 혁명의 사상적 기초가 되었고, 미국 독립 운동의 정신적 배경이 되었지요. 그리고 오늘날 민주주의를 떠받치는 큰 기둥이 되었답니다.

　《사회계약론》을 읽으면서 저는 'The pen is mightier than the sword.(펜은 칼보다 강하다)'라는 서양 속담을 떠올렸습니다. 루소의 가냘픈 펜은 알렉산드로스나 칭기즈 칸과 같은 영웅들의 커다란 칼보다 훨씬 강하다는 것을 알게 되었거든요. 알렉산드로스와 칭기즈 칸이 이룩한 대제국은 사라졌지만, 루소가 쓴 글은 위대한 사상이 되어 지금도 인류의 가슴속에 깊이 남아 있기 때문이지요. 마지막으로 《사회계약론》의 머리글에 있는 한 구절을 읽으면서 여러분이 앞으로 민주 시민으로서 가지는 권리와 의무에 대해 깊이 생각하는 기회를 가졌으면 합니다.

> "내가 자유 국가의 한 시민으로 태어나 주권자의 한 사람인 이상, 나의 발언이 정치에 미치는 영향력이 아무리 미미하더라도, 투표할 권한이 있다는 사실 하나만으로도 국가 정치에 대해 연구할 의무감을 느끼기에 충분할 것이다."

송영운

어떻게 사는 게 잘사는 것일까요?

20년을 만화만 그려 왔으면서도 제대로 된 만화책 한 권 완성한다는 것이 이렇게 힘들 줄 몰랐습니다. 마감 약속을 하고, 그 약속을 어기고, 다시 약속을 잡고, 또 약속을 어기고…… 그렇게 우여곡절을 겪으면서 원고와 함께 1년이란 긴 시간을 보내며 무사히 원고를 마친 지금, 만족감보다는 부끄러움과 아쉬움이 먼저 드는군요.

힘들고 어려운 작업이긴 했지만 그래도 저 스스로 많은 공부가 되었기에 루소와 함께 보낸 시간은 저에게도 큰 도움이 되었답니다.

루소의 《사회계약론》은 우리가 살아가는 사회의 본질이 무엇인지, 사회의 최소 단위인 가정에서부터 직장과 이웃, 나아가 사회라는 광범위한 집단이 어떻게 형성되고 유지되어 가는지에 대한 모범적인 안내서라고 할 수 있습니다.

100년도 더 전에 쓰인 책인데도 여전히 많은 사람들에게 읽히고 공감을 불러일으키며 그 가치를 인정받고 있는 것은 우리가 살아가는 사회의 겉모습에서 더 들어가 그 본질과 내면에 흐르는 원리를 정확히 꿰뚫고 있기 때문이겠지요.

루소는 우리가 살고 있는 세상이 '계약'에 의해 이루어졌다고 생각한답니다. 그리고 그 계약을 이루는 공통 원리를 '일반 의지'라는 말로 설명하고 있어요. 모든 사람에게, 공공에게 이로운 의지가 '일반 의지'라는 것이고, 그것이 바로 사회의 질서를 형성한다고 루소는 보았어요.

　그러나 어쩌면 우리 사회는 루소의 말과는 달리 '계약'에 의해 이루어지지 않았을 수도 있습니다. 오히려 계약보다는 따뜻한 정으로 뭉쳐 있다고 생각하는 게 더 인간적인 자세일 수도 있겠지요. 하지만 이 책의 중요성은 우리가 어떤 사물이나 현상의 본질을 파악할 때 과연 어떤 태도로 바라보아야 하는가를 가르쳐 준다는 점입니다. 그것을 어려운 말로 표현하면 '가치관'이라고도 할 수 있겠지요. 따라서 우리가 루소에게서 배워야 할 것은 책에서 드러나는 지식만이 아닙니다. 지식 너머에 있는 마음, 그러한 지식을 형성하게 된 본바탕이야말로 루소의 사상에서 진정으로 빛을 발하는 부분이랍니다.

　혹 내용이나 그림에 어색함이나 미흡한 부분이 있다면 그것은 전적으로 저의 부족함 때문입니다. 그럼에도 바라는 건, 이 책을 읽는 독자 여러분들도 저처럼 사회적 인식의 지평이 한 단계 더 높아지는 즐거움을 얻게 되었으면 한다는 점입니다. 이 작은 책으로 인해 사회를 바라보는 눈과 이웃을 마주보는 시선이 조금이라도 따뜻해진다면, 그것으로 힘겨웠던 지난 1년의 시간들을 모두 웃음으로 날려 버릴 수 있을 것 같습니다.
　끝으로 오랜 시간 믿고 기다려 주신 출판사에 감사한 마음을 전합니다.

팽현종

제 1 장 《사회계약론》은 어떤 책일까?

지금부터 우리가 해부해 볼 책은 루소가 지은 《사회계약론》이야.

사호 계약론

루소라는 이름, 들어는 봤어?

썩소는 알아도 루소는 몰라!

재미없을 것 같으니 별로 알고 싶지 않다고?

재미있는 오락이나 하자.

제목이 너무 딱딱해서 지레 겁먹은 것 같은데 긴장들 풀어.

윽!

어, 어떻게 알았지….

사실 좀 딱딱한 내용이긴 하지.

빙고..

하지만 걱정 마. 내가 말랑말랑한 식빵처럼 만들어 줄 테니까. 아마 '해리 포터'도 울고 갈걸!

본격적으로 들어가기 전에 퀴즈를 하나 낼게.

알쏭달쏭 퀴즈~

대한민국은 ○○○○○이다. 빈칸을 채워보도록..

우리나라 헌법 제1장 제1조 제1항을 참조하면 답이 나오지.

대한민국헌법

그래도 모르겠으면 빨리 인터넷 검색창에 입력해 보라고.

답은 바로….

『민주공화국』 대한민국은 민주공화국이다

우리나라가 민주공화국이라는 사실을 너무 당연한 것으로 받아들이기에 일부러 선택한 문제야.

우리 국민들이 다양한 정치 체제들을 놓고 심사숙고한 끝에

인민들의 구제를 위해 사회주의를…

안 됩니다!

민주주의에 입각한 공화정을 선택한 거란다.

1948년 8월 15일 대한민국은

그리고 그것을 헌법을 통해 만천하에 공표했지.

민주공화국을 선포합니다!

민주와 공화의 개념이 뿌리내리는 데 지대한 공헌을 한 책이 바로 《사회계약론》 이야.

민주 공화 민주 사회

루소는 이 책에서 인간의 자유와 평등을 강조하고,

자유 평등

공익과 협동에 바탕을 둔 공동체를 그리고 있어.

공동체

이 책은 1762년 네덜란드에서 출판되었고

정치학의 고전으로 꼽힌단다.

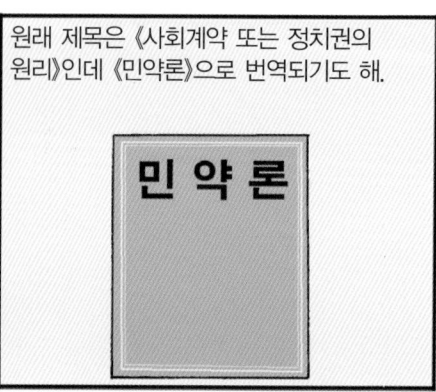

원래 제목은 《사회계약 또는 정치권의 원리》인데 《민약론》으로 번역되기도 해.

민 약 론

루소는 천재 사상가로 꼽혀.

천재라는 소리는 아무나 들을 수 있는 게 아니야.

나도 아직 한 번도 못 들어 봤다고. 나름 열심히 한다는 말은 들어 봤지만….

루소가 이 책을 출간하자마자 사람들로부터 열렬한 환호와 대접을 받은 줄로 안다면

그건 오해야….

천재는 외로운 법.

루소는 이 책을 쓰고 나서 여기저기로 도망 다니느라 정신이 없었어.

얼른 튀자!

고독을 즐기기는커녕 사람들의 온갖 비난과 구박을 온몸으로 견뎌내야 했지.

윽! 따거워….

비난, 구박

책에는 당시의 통념을 정면으로 공격하는 주장이 잔뜩 담겨 있었거든.

피융

그러나 가랑비에 옷 젖듯이 사람들은 서서히 루소의 사상에 물들기 시작했어.

그리고 얼마 후 프랑스 혁명이 일어났고 드디어 인류 역사에 새 시대가 열렸어.

콰쾅

《사회계약론》은 혁명 세력의 교과서였대.

특히 혁명을 주도한 로베스피에르가 루소를 정신적 스승으로 모셨다는 얘기는 유명하단다.

나의 스승은 루소뿐!

자… 이제 대충 감이 잡히겠지.

이 책이 대체 어떤 책인지, 왜 고전으로 꼽히는지.

인류 발전에 지대한 영향을 끼친 책 중 하나야.

그러나 감을 잡은 정도로는 부족해. 이제는 감을 바구니에 담아야 해….

하하하… 미안 미안. 너무 썰렁한 농담을 했구나.

무슨 말인가 하면 어떤 인물과 그의 업적을 제대로 이해하려면 당시의 시대 배경을 먼저 알 필요가 있다는 말이야.

왜냐하면 한 사람의 영웅이든 한 편의 걸작이든, 시대와 상황의 산물일 수밖에 없기 때문이지.

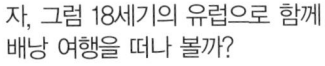

자, 출발!

자, 그럼 18세기의 유럽으로 함께 배낭 여행을 떠나 볼까?

에구구, 배낭이 너무 무거워서 걸을 수가 없네.

먹을 것을 너무 많이 넣었나 봐.

헤헤헤…

자! 여기는 18세기의 프랑스야.

루소는 주네브* 공화국에서 태어났지만 활동은 주로 프랑스에서 했어.

*주네브 - 영)제네바

저기 베르사유 궁전이 보이네. 듣던 대로 정말 근사한걸.

그런데 거리가 너무 지저분하다.

속이 다 메스꺼울 지경이야.

윽!

지독한 냄새!

하긴 파리는 21세기에도 지저분한 도시로 유명하지.

앵

앵~

오죽하면 외국 관광객들이 아름다운 파리를 상상하며 왔다가

오, 뷰티풀한 파리, 낭만의 도시여. 내가 왔다구~

더럽고 불결한 모습에 충격받는다는

oh~my GOD! 이곳이 꿈에 그리던 파리라구….

파리 신드롬까지 생겨났겠어.

깡

그 파리가 이 파리가 아니라구!

하여튼 17세기 내내 30년 전쟁과 루이 14세의 전쟁으로

시끄러웠던 유럽은 18세기 들어 잠시 잠잠해진 상태였어.

잠잠하다고 해도 뚜껑을 열어 보면 무언가 끓고 있는 냄비와 비슷했지만.

보글

보글

그리스도교 문화는 여전히 유럽을 지배하고 있었어.

유럽은 그리스도교 것이다!

그런데 가톨릭과 개신교 간의 대립이 너무 심해서

부패한 가톨릭!

무슨 소리!

도저히 한 나라에서 함께 살 수 없을 정도였지.

쳇

흥!

국민은 무조건 자기 나라의 왕이 믿는 종교를 따라서 믿어야 했거든.

나를 믿고 따르라!

종교의 자유 따윈 없어!

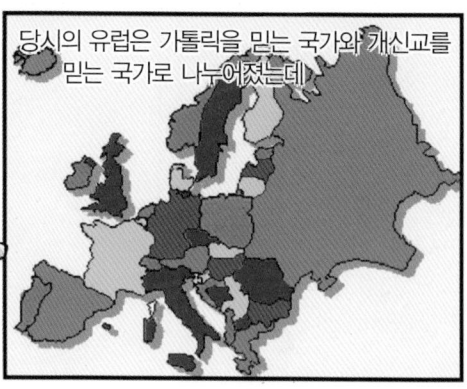

당시의 유럽은 가톨릭을 믿는 국가와 개신교를 믿는 국가로 나누어졌는데

스위스, 브란덴부르크, 네덜란드 등이 개신교 국가이고

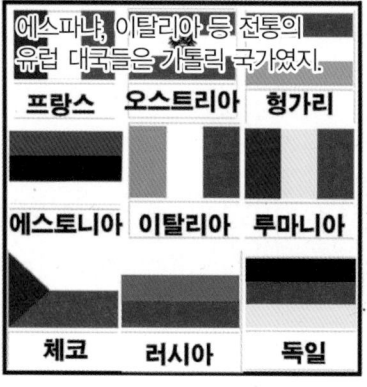

에스파냐, 이탈리아 등 전통의 유럽 대국들은 가톨릭 국가였지.

프랑스	오스트리아	헝가리
에스토니아	이탈리아	루마니아
체코	러시아	독일

잠깐! 루소는 개신교 국가인 주네브 공화국 태생인데 나중에 가톨릭으로 개종했어.

그래도 전통이 있는 가톨릭이 최고지!

16세기 말부터 18세기 초까지

유럽은 절대 왕정 체제가 마지막 위세를 떨치던 시기였어.

왕은 신과 같은 존재여서 모든 것을 좌지우지했지.

난 신과 동급!

사람들은 비인간적인 노예 제도와 절대 왕권을 '물과 공기' 처럼 당연한 것으로 받아들이며 살고 있었어.

개인의 자유니 평등이니 하는 것들은 상상도 할 수 없었지.

자유와 평등? 그게 뭔데…. 먹는 거야? 맛은 있어?

이는 영국을 뺀 대부분의 유럽 국가에 해당되었어.

프랑스의 루이 14세가 말했다는

'짐은 곧 국가다.' 란 말은 절대 왕정의 절대성을 단적으로 나타내는 표현이야.

내 반지는 절대 반지다!

여기서 말하는 '짐' 은 짐 보따리가 아니고 왕이 자신을 가리킬 때 쓰는 말이란다.

그러나 한편으로는 새로운 시대로 들어서려는 변화의 조짐이 여기저기에 감지되고 있어.

··드드드··

우선 학문이 놀라운 속도로 발전했는데

너무 빨라서 무서워~

학문

악! 눈 부셔!

특히 '자연 과학' 분야의 발전은 눈이 부실 지경이었어.

번쩍 번쩍

케플러와 갈릴레이, 뉴턴 등이 등장해서

오~ 만유인력.

신선한 자극을 안겨 주었어.

뭐가

지구는 돈다.

돌아?

합리적 사고의 문을 열어 준 거지.

자연 과학뿐만이 아니라
사회 분야도 같이 발전하면서
비판 정신이 싹트기 시작했으니

이는 계몽주의와 자유사상이
꽃피는 계기가 되었고

새로운 책들도 쏟아져 나와서 이른바
베스트셀러가 탄생하기도 했어.

특히 다니엘 디포의 《로빈슨 크루소》는
엄청나게 인기가 좋았지.

루소도 이 책을 읽고 크게 감명받아
가장 잘된 자연 교육론이라며 칭찬을
했다지?

오,
렌즈와 필름으로
드디어 불을
붙였어!

아직 읽어 보지 않았다면
꼭 한번 읽어 보길 바라.

1726년에는 조너선 스위프트가 쓴 신랄한 풍자 소설
《걸리버 여행기》가 유럽 전역에서 큰 성공을 거두기도
했어.

이러한 모든 움직임들이 원동력이 되어 새로운 사상이
터져 나오고

곳곳에서 열띤 토론이 벌어졌어.

닭이 먼저!

달걀이라니깐!

특히 프랑스 파리의 카페들은
단연 변화의 중심지였지.

단순히 커피만 마시고 가는 곳이 아니라
사람들이 모여서 토론을 벌이는 열린 마당이
되었으니까.

카페 안을 한번 들여다 볼까? 정말 사람들이 모여서 열심히 이야기를 나누고 있지?

누구는 인상을 쓰고 누구는 골똘히 생각에 잠겨 있어.

또 누구는 열심히 메모를 하고

졸린 듯한 사람은 하나도 없어. 정말 대단한걸….

잠깬! 저기 카페 주인이 계산대 앞에 앉아 있는데 표정이 복잡 미묘한걸.

하긴 손님들이 한번 들어오면 나갈 생각은 않고 하루 종일 버티고 있으니

··바글·· 바글·

주인 입장에선 속 터질 노릇이지.

와, 그래도 리필은 해 주는걸.

고맙소….

혹시 주인들도 이 역동적이고 활기찬 움직임을 속으로 응원하고 있는 건 아닐까?

아자!

그런데 프랑스 정부는 카페가 위험한 여론의 발생지라는 걸 눈치 채고 파리 시내의 카페들을 감시하기 시작했어

그러나 강제로 카페 문을 닫게 할 수는 없으니 속이 부글부글 끓어도 참을 수밖에.

커피에 물을 탔다고 하고 영업 정지를 시켜 버려?

이러한 움직임은 결국 절대 왕정 제도를 타파하려는

1789년의 프랑스 혁명을 불러오지.

그 혁명의 이념을 제공한 이들이 바로 계몽 사상가들인데

D.디드로 .J.R달랑베르, 뷔퐁
E.B콩디야크, P.H돌바코

나 홉스도 있다구~

그중에서도 루소가 으뜸으로 꼽힌다는 사실을 잊지 마.

쑥스럽네….

루소가 이런 책들을 통해 줄기차게 주장한 문명 비판과 인민 주권론이 혁명 사상의 기초가 되거든.

인간 고백록
사회계약론 에밀

그중에서 특히 《사회계약론》이 일등 공신이야.

공익을 적극적으로 실현하기 위하여 시민의 의지에 따라 사회 질서가 형성되어야 한다는 루소의 생각은 이미 충분히 혁명적인 것이었지.

또한 이러한 이론은 오늘날 세계 대다수의 국가에서 민주주의의 기본 원칙으로 자리 잡고 있어.

그럼 어떤 대목이 그렇게 사람들에게 영향을 주었다는 걸까?

정부가 없다면 개인은 다른 사람들의 의지에 복종해야 할 의무가 없으므로 자연적으로…

이 책에는 무릎을 칠 만한 명언이 많이 나오는데

오~ 밑줄 쫙!

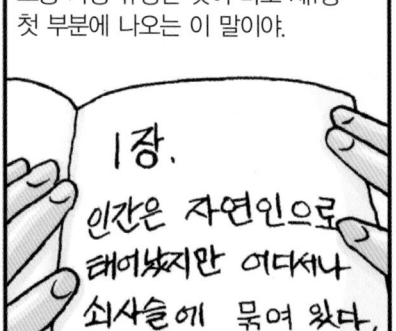
그중 가장 유명한 것이 바로 제1장 첫 부분에 나오는 이 말이야.

1장.
인간은 자연인으로 태어났지만 어디서나 쇠사슬에 묶여 왔다.

인간은 자연인으로 태어났지만 어디서나 쇠사슬에 묶여 있다.

어때, 멋진 말이지 않니?

멋있긴 한데… 우리더러 다시 원시인이 되라는 소리 아니냐고?

달을 가리키면 달을 봐야 하는 법! 손가락을 보지 말고.

이 말은 쇠사슬을 끊고 자연으로 돌아가라는 뜻이 아니고 자연 상태의 원시인이 지녔던 순수함과 선량함을 올바른 이성의 힘을 빌려 지금 이 자리에서 되찾으라는 의미야.

실제로 루소는 '자연으로 돌아가라.'는 말을 한 적이 없는데 사람들은 그렇게들 알고 있어.

내가…

그런 말을 썼던가?

J.J루소

아마도 후세의 사람들이 지어낸 말이겠지.

여기도 요기도

살을 붙여서…

그러나 그 말 속에는 자연을 찬양하고 문명을 비판한 루소의 사상이 함축되어 있다고 볼 수 있어.

루소의 생각에 동조하는 사람들도 있었지만 그 수는 얼마 안 되었고

우리는 루소를 지지한다!

대부분의 사람들은 루소를 비난했어.

이걸 글이라고 쓴 겨!

특히 볼테르는 '루소는 인간이 다시 네 발로 기는 동물로 돌아가길 바라는 것 같다.'며 비꼬기까지 했으니

내가 발로 써도 그거보단 낫겠다.

커덕 커덕

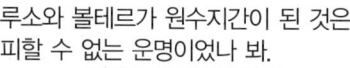

루소와 볼테르가 원수지간이 된 것은 피할 수 없는 운명이었나 봐.

사실 루소의 글은 내용도 딱딱하고 비슷한 이야기를 여러 대목에서 반복하기도 하며

에이, 시시해. 했던 얘기만 계속하고….

흐름이 산만하기도 해.

대체

어디로 가란 거야~

게다가 뜻이 애매모호한 부분도 적지 않아.

내가 쓴 글인데 나도 무슨 뜻인지 헷갈리네….

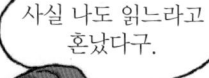

사실 나도 읽느라고 혼났다구.

그렇지만 그가 일관되게 주장하는 메시지는 분명해. 사람은 본래 선한 존재이고 자유를 타고났다는 거야.

자유

루소는 그 자유를 토대로 하는 이상적인 사회 질서와 정부 수립까지 선명하게 그리고 있지.

루소에 따르면, 자연 상태에서 자유롭고 평등하던 인간이 사회계약을 통해 국가를 형성한다는 거야.

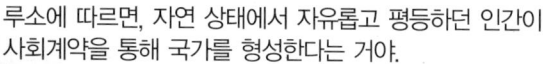

여기서 중요한 것은 인간이 계약을 맺고

계약서

사회 질서를 만드는 것이 속박당하기 위해서가 아니라는 점이지.

헉! 내가 원한 건 이런 게 아냐!

철컹

어디까지나 자신들의 이익을 위한 자발적 행동이란 거지.

금전

자유

이익

물론 루소 말고도 사회계약을 얘기한 학자들이 있긴 했어.

선배님….

홉스, 로크 등이 대표자지.

오~ 루소 군.

그러나 루소가 말한 사회계약론과는 의미가 180도 다르단다.

자네가 쓴 《사회계약론》 잘 읽어 봤네. 하지만 잘못된 부분이 많던걸.

홉스와 그의 친구들이 말하는 사회계약은 상하 수직적인 계약이었어.

아랫사람이 윗사람에게, 또 그 윗사람에게 복종하는

즉 국민이 왕에게 철저히 복종하는 계약을 말했거든.

사실 루소 이전의 학자들과 지배층은 국민을 무시하고 얕잡아 봤어.

가난하고 무식한 국민들을 동정하는 체하면서 내심으로는 무지한 대중을

통제하고 지배할 묘안을 찾기에 골몰했지.

이렇게.

저렇게.

요렇게.

그러나 루소는 달랐어.

그에겐 사람들의 선한 본성에 대한 믿음이 있었어.

별말씀을요.

고맙네 젊은이.

그리고 폭력에 의한 질서가 아닌 계약에 의한 질서를 꿈꾸었지.

그 질서는 모든 사람이 갖고 있는 '일반 의지'라는 것으로 구체화되는 거야.

일반의지 / 일반의 / 일반의 / 일반의지

사회계약론의 핵심인 일반 의지는 부자와 귀족뿐만이 아니라

농부와 노동자, 거지에게도 똑같이 있는 거거든.

물론 루소의 사회계약론에도 허점은 있어.

일반 의지에 대한 충분한 설명이 부족하다 보니 후대 사람들은 일반 의지의 개념을 둘러싸고 갑론을박*을 벌였단다.

＊갑론을박 – 여러 사람이 서로 자신의 주장을 내세우며 반박함.

또한 루소의 말대로 사회계약이란 것이 과연 실제로 있었는지 입증하기가 어려워.

훌쩍 / 훌쩍 / 흑흑… 날 못 믿는 거…

아니, 거의 불가능해.

이번 시험엔 꼭 100점 맞아야지.

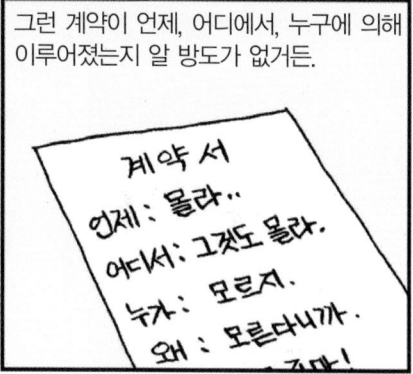

그런 계약이 언제, 어디에서, 누구에 의해 이루어졌는지 알 방도가 없거든.

계약서
언제: 몰라..
어디서: 그것도 몰라.
누가: 모르지.
왜: 모른다니까.

그러나 인간은 모두 똑같이 존엄하고 국가의 주권은 모든 국민에게 있으며

정부는 국민의 대행자로서 국민의 이익을 위해 노력할 의무가 있다는 루소의 주장은

인류의 역사에 핵폭탄과도 같은 충격을 몰고 왔지.

《사회계약론》은 나중에 와서 최대 걸작으로 평가받고 있지만

사회
계약론

당시에는 푸대접을 받았어.

비슷한 시기에 나온 《에밀》과 함께

에밀

금서 목록에 올랐지.

금서

루소는 1762년 《사회계약론》과 《에밀》을 한 달 간격으로 펴냈는데

글 쓰는 게 이렇게 즐거울 줄이야.

사회 질서를 혼란스럽게 하고

그리스도교의 가르침을 파괴한다는 이유로

바로 판매 금지 처분을 받았지.

판매 금지

당시 큰 문제가 된 것은

사실 《사회계약론》이 아니라 《에밀》이었어.

파리 고등법원은 책을 압수하기로 결정했고 루소는 황급히 도망가야 했어.

우리나라도 과거 독재 정권 시절에는

금서 또는 금지곡 따위가 있었단다.

정치가는 물론이고

종교 지도자나 권력가들은 자신들의 권력 유지에 방해가 되는 것은 절대로 용납하지 않거든.

이러한 이유로 《사회계약론》과 《에밀》을 집필한 루소는 힘든 나날을 보내게 되지.

《사회계약론》에 담긴 루소의 주장은

혁명의 도화선이 되어

그가 죽은 지 11년 후인 1789년 마침내 프랑스에서 혁명이 일어났어.

로베스피에르는 스스로 루소의 후예임을 자처했고

1794년 5월 7일 프랑스 혁명 국민 회의 앞에서는 연설 중에 루소를 혁명의 선구자라고 불렀단다.

프랑스 혁명 이후 《사회계약론》은 루소의 대표작으로 자리 잡게 되었어.

하지만 루소 본인은 《에밀》을 자신의 대표작으로 꼽고 있는데

누가 뭐래도 《에밀》이 나의 대표작이지!

내용상 《사회계약론》과 《에밀》은 밀접하게 연관되어 있으니

사회 계약론

에밀

《사회계약론》을 다 읽었다면

《에밀》도 한번 읽어 보도록.

루소의 후예는 로베스피에르만이 아니야.

나 로베스피에르 말고 또 누가 있는 거야?

19세기 초 독일의 철학자 헤겔도

루소와 마찬가지로 개인의 자유가 사회를 통해서만 가능하다고 봤어.

그러나 헤겔은 국가가 가장 중요하다고 생각했지.

정반합을 기본으로 한 변증법을…

헤겔의 철학을 더 깊이 파고들면 나도 그렇고 너희들도 그렇고 모두 머리에 무리가 오니까 이쯤에서 그만하고.

철학자 칸트도

국가의 핵심 역할이 질서를 유지하는 데 있다고 보았어.

줄서… 요….

잉?

물론 이때의 질서는 폭력과 강압에 의한 질서가 아니라

뭐라고?

아… 바지에 줄이 섰다고요.

사람들이 협동을 통해

안 돼~

영차..

영차..

잠재력을 최대한 발휘할 수 있도록 만드는 것을 뜻해.

만세! 우리가 이겼다.

말도 안 돼. 우리가 지다니.

이러한 사상은 마르크스의 사회주의에도 영향을 미쳤어.

헤겔이든 칸트든 마르크스든

루소의 후예들의 공통점이라면 사람들 스스로 공동체 안에서 협동하고

질서를 만들어 내는 사회를 꿈꾸었다는 점일 거야.

자, 이 책이 얼마나 위대한 책인지 이제 좀 알겠지? 킹슬레이 마틴이라는 영국 학자는 《사회계약론》을 《성경》, 《자본론》과 함께 역사상 인간의 정신에 가장 큰 힘이 되는 책으로 꼽기도 했단다.

BIBLE

사회 계약론

자본론

그러니 우리가 민주 사회에 살고 있으면서 루소의 《사회계약론》을 모른다면 문제가 되겠지?

인간 해방을 꿈꾼 계몽사상

과학 혁명이 가져온 새로운 세계

17세기 전후로 유럽의 문명은 큰 변화를 맞이했다. 그것은 뉴턴, 라부아지에, 린네 등과 같은 과학자들의 활약으로 일어난 과학 혁명이 사람들에게 새로운 세계를 보여 주었기 때문이다. 덕분에 사람들은 맹목적인 신앙의 울타리에서 벗어나 과학적인 사고방식을 갖기 시작했다. 이러한 경향은 철학자들에게서도 찾아볼 수 있었다. 영국의 베이컨은 사물에 대한 관찰과 실험을 강조하는 경험주의 철학을 강조했고, 프랑스의 데카르트는 합리적인 철학을 하기 위해 이성을 강조하여 계몽사상의 토대를 마련했다.

계몽이란 '민중의 어리석음을 이성에 의해 깨우친다.'는 뜻을 가진 말이며, 계몽사상은 민중을 계몽하기 위한 사상의 총체라고 할 수 있다. 계몽사상은 1784년 칸트가 쓴 《계몽이란 무엇인가?》를 시발로 유럽의 주류 철학 사상으로 자리 매김 했다. 계몽사상은 과학적 자연주의를 토대로 하여 종교적으로는 무신론에 가까우며, 역사 정신은 진보주의라 할 수 있다.

과학 혁명을 완성하여 근대 과학의 문을 연 아이작 뉴턴.

인간이 중심이 된 사상

계몽사상은 근 1000년 동안 유럽에 정신적 암흑시대를 가져온 종교의 속박에서 벗어나 합리적인 사유와 이성의 계몽을 부르짖은 것으로, 이는 교회가 내세우는 저

세상에서의 행복이 아니라 이 세상, 즉 현생에서의 시민의 행복을 염원하는 인간 중심의 사상이었다.

계몽사상은 주로 프랑스, 영국, 독일을 중심으로 발전했다. 이들은 인간 정신의 근대적인 해방을 목표로 저서를 집필하고 강의를 했다. 왕을 중심으로 하는 절대주의 사회의 권위를 무너뜨리고 시민 사회를 건설하기 위한 개혁 의지를 불태웠다. 이들은 계급을 철폐하고 사회를 민주적 방향으로 진보시키기를 원했으며, 봉건적 세계를 부수고 이성에 근거한 합리적인 사회를 만들기 위한 노력에 앞장섰다. 이러한 이유로 계몽사상이 주류를 이루었던 시대를 '이성의 세기', '비판의 시대'라 부르는 것이다.

몽테스키외는 《법의 정신》을 써서, 사법·입법·행정의 삼권 분립 이론을 세웠다.

프랑스에서 꽃피다

특히 프랑스의 계몽사상은 1734년에 출판된 볼테르의 《철학 서한》에서부터 시작하여 돋보이는 발전을 했다. 1748년에는 몽테스키외가 《법의 정신》을 출판하여 삼권 분립의 원칙을 밝히고 절대왕정에 쐐기를 박았다. 또한 디드로, 달랑베르 등은 《백과전서》를 펴내는 작업을 통해 종교나 관습 그리고 제도의 주술에 묶여 있는 인간을 해방시키고, 앞으로 전개될 과학에 대한 꿈을 북돋우며, 개인이 주체가 되는 새로운 세계관과 창조에 참여하도록 촉구하였다. 그리고 계몽사상은 루소의 《인간불평등기원론》, 《사회계약론》, 《에밀》 등의 저서를 통해 인간의 삶 전체에 골고루 영향을 끼치는 가치 체계가 되어 근대 시민 사회를 형성하는 데 큰 영향을 끼쳤다.

제2장 장 자크 루소, 그는 누구일까?

루소는 1712년 6월 28일 주네브에서 태어났어.

시계 수리공인 아버지 이자크 루소와 어머니 수전 베르나르 사이에서 태어났지.

그런데 태어난 지 9일 만에 어머니가 세상을 뜨는 바람에 엄마 젖도 못 먹고 자랐지 뭐야.

하지만 불행은 이제 시작일 뿐

아버지는 거리에서 싸움을 벌이고, 열 살짜리 루소를 두고 외국으로 도망쳐 버렸어.

아빠……

주 네 브

부모의 사랑을 못 받고 고모와 외삼촌 손에 컸으니

그 어린 것이 얼마나 마음 고생이 컸을까? 끌끌…

루소는 덕분에 사회생활을 일찍 시작했어.

열두 살부터 이런저런 일자리를 떠돌았지.

조각을 배우는 견습공 자리를 얻어 작업장에서 숙식을 해결하며 일을 배웠어.

공장의 주인은 어쩐지 루소를 마음에 안 들어 했고

루소 역시 일 많고 배곯는 견습생 생활이 만족스럽지 않았어.

아~ 배고파…

유일한 낙이 있다면 책을 읽는 즐거움이었지.

기특하게도 루소는 늘 책을 끼고 살았단다.

그런데 주인은 루소가 책을 읽는 것도 미웠는지

읽고 있는 책을 뺏고 때리기까지 했단다.

일은 안 하고 매일 책만 보냐!

"이런 악덕 업주 같으니라고!"

누가 내 욕 하나, 귀가 왜 이리 간지럽지…

명랑하던 루소는 죄 없이 욕먹고

매를 맞으면서 점점 말수가 줄어들었지.

어려운 환경에서도 기죽지 않고 꿋꿋이 버티던 그는

어느 날 무슨 결심을 했는지 견습공을 그만두고 주네브를 떠났어.

Good Bye 주네브

그의 나이 열여섯 살 때야.

이제 방랑 소년이 된 거지.

갈 곳 없는 그는 당장 먹을 것과 잠자리를 구걸하면서 떠돌아다녔어.

그러다 우연히 어느 가톨릭 사제의 도움으로

귀족인 바랑 부인을 만나게 되었지.

순진하고 어린 10대 소년 루소는 20대 후반의 바랑 부인에게 매혹당했고

아, 예쁘다…

그녀의 주선으로 가톨릭으로 개종했어.

루소는 토리노에서 다시 조각 일을 해 보지만 장사가 잘 안 됐단다.

귀족의 하인으로 또 사제의 비서로 일해 보기도 했는데

그 어느 것도 루소의 길은 아니었어.

정착을 못하고 방황만 하던 루소는 다시 바랑 부인에게 돌아갔어.

당시 귀족 부인들은 예술가들을 후원해 주는 경우가 많았고 또한 그것을 자랑으로 여기기도 했는데

난 이번에 고야의 후원을 맡기로 했어.

난 다비드와 조각가 뤼드를 후원해 주고 있어.

나도 한 명 알아봐야지. 완전 왕따됐네!

루소에겐 바랑 부인이 그런 후견인이었던 거지.

루소는 음악에도 재능이 있어서

창문을 열어주오♬

오케스트라 지휘자 노릇도 하고

음악 교사로도 활동했어.

이즈음 바랑 부인이 루소의 연정을 받아들여 둘이 잠시 연인 관계로 발전하기도 했지만

오래가지는 못했단다.

루소는 진로, 장래, 연애 문제 등으로 불투명하고 불안한 나날을 보냈어.

너희들은 아직 방황이라는 걸 본격적으로 해 보지 않아서 잘 모를 거야.

준비…

미래는 불투명하고 뭐가 뭔지 모르겠고 모든 게 혼돈 그 자체인 게 방황의 진면목이지.

깜깜하니 앞이 안 보인다.

루소의 경우를 타산지석으로 삼아서

너희들도 지금부터 진로에 대하여 계획을 세우고 준비하는 게 좋을 거야.

생활계획표.

다시 돌아와서…. 루소의 기나긴 방황도 이제 끝이 보이기 시작했어.

하고 싶은 일이 점점 분명해진 거야!

꼭 치고 말겠어!

볼테르의 저서를 모두 읽고는 볼테르처럼 훌륭한 글을 쓰고 싶다는 소망을 키우게 된 거지.

아~

나도 이렇게 훌륭한 글을 써 보고 싶다.

루소는 이제 마음을 잡고 공부를 하기 시작했어.

그의 나이 스물세 살 때야.

바랑 부인의 시골 영지에 있는 집에 머물며 오로지 독서에만 열중하며 실력을 쌓았지.

볼테르를 비롯하여 플라톤, 데카르트, 로크, 라이프니츠 등의 저작을 모조리 섭렵한 것은 물론이고

문학, 자연 과학과 신학에 대해서도 상당한 수준의 교양을 쌓았단다.

약학과 화학에도 관심이 높아서 실험 중에 플라스크가 폭발해

한동안 자리에 누워 있기도 했지.

그는 오로지 자기 생각과 글로 사람들을 놀라게 할 날을 꿈꾸며 공부에만 몰두했어.

철저하게 독학으로 실력을 쌓았다고 봐야지.

그는 책을 읽으면 일단 저자들의 얘기를 편견 없이 모두 머릿속에 저장한 다음

지식들을 밑거름 삼아 자신만의 생각을 만들어 냈어.

그에게 독서라는 것은 자기 머리로 생각하기 위한 철저한 훈련이었던 거야.

드디어 스물여덟 살이 되던 해에

루소는 5년간의 긴 '수련'을 끝내고 파리로 나왔어.

이제 세상을 상대로 꿈을 펼쳐 보고 싶었던 거지.

그러나 막상 파리에 왔지만 경제적으로 많이 어려웠단다.

그는 일단 음악 분야에서 활동하기로 한 후 작곡 활동도 하고 악보 표기법을 새로 고안해 내기도 했어.

물론 받아들여지지는 않았지.

학문과 음악 사이에서 갈등하면서도

자장이냐

짬뽕이냐, 그것이 문제로다.

그는 포기하지 않고 노력을 계속했지.

한편 인간관계도 넓어져서 콩디야크, 디드로, 그림, 달랑베르 같은 젊은 사상가들과 사귀기도 했단다.

특히 디드로와는 무척 친하게 지냈지.

그는 잠시 베네치아 주재 프랑스 대사의 비서로도 일했어.

프랑스 대사

열심히 하다 보니 실질적으로 대사의 일까지도 맡아서 하게 되었고

이 많은 서류를 언제 다 결재한다냐.

외교와 국가의 관리 업무를 가까이 접할 수 있었어.

국가의 관리 업무

루소는 이때 비로소 정치에 눈뜨게 되지.

아~

이런 방법이…

끼릭

끼릭

세상의 모든 일이 정치에 달려 있고

정부의 역할이 막중하다는 걸 깨달은 거야.

정치 개발 경제 실업 안보 철학 삶의질 취업 권리 윤리 복지 외교

베네치아를 떠나 다시 파리로 돌아온 루소는

바쁘다 바빠….

베네치아

파리

정치 체제에 대한 책을 구상하였고.

국민을 낚는 체제란…

몇 년 뒤 일부만 완성해서 논문으로 발표하게 됐지.

휴~ 드디어 완성했다….

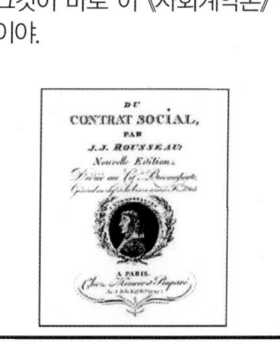

그것이 바로 이 《사회계약론》이야.

DU
CONTRAT SOCIAL,
PAR
J. J. ROUSSEAU

한편 루소는 이즈음 테레즈 르바쇠르라는 여성을 만났어.

베네치아에서 돌아오는 길에 잠시 머문 여관의 하녀인데

루소는 죽을 때까지 33년 동안 그녀와 함께 살았단다.

결혼식은 말년에 올렸고

신랑 루소 군은… 아… 아니 루소 할아버지는 신부를 맞아….

당시에는 정식으로 결혼식을 올리지 않고 살아도 큰 문제가 되지 않았어.

그러나 루소가 오늘날까지도 비난받고 있는 것 중 하나는 테레즈와 낳은 다섯 아이를 전부 고아원에 버렸다는 사실이야.

충격적이지? 교육학의 명저 《에밀》을 쓴 사람이 어떻게 자기 아이를 버릴 수 있을까.

누가 아기를….

루소의 행동에 대한 비난이 끊이질 않았어.

나쁜 사람!

부모 자격도 없다!

인간도 아냐!

그는 자기처럼 무능한 가장 아래서는 아이들이 더 불행해 졌을 거라며 변명했단다.

무능한 아비 밑에 있느니….

어떤 속사정이 있었는지 모르지만 그 무슨 변명으로도 그의 행동은 정당화될 수 없을 거야.

하여튼 가족을 부양하느라 오늘도 바깥에서 고생하고 오신 부모님의 어깨라도 한번 주물러 드리렴.

1750년 루소는 감옥에 수감된 디드로를 면회 가는 길에

우연히 디종 아카데미 논문 현상 공모를 보고는 응모를 하게 됐는데

디종 아카데미
논문현상공모

1등: 10 $

2등: 5 $

3등: 3 $

자격: 20세 이상이면 누구나 가능

그의 논문 《과학과 예술론》이 당선되면서

하루 아침에 스타가 되었어.

루소의 논문은 과학과 예술을 비난하고

오염되지 않은 자연의 삶을 찬양하는 내용이었는데

오~ 아름다워라.

당시의 사회 분위기를 거스르는 파격적인 주장이었단다.

사회

이 논문을 들여다 보면

인간은 원래 선하게 태어났지만

사회 제도에 의해 사악해진다는 그의 사상 기조를 알 수 있어.

급기야…

몰들고 말았어!

학자들은 루소의 주장을 못마땅해 했어.

과학과 예술을 독이라고 했으니 기분 나빴겠지.

당대의 유명한 지식인들 대부분이 루소를 적대시하게 됐단다.

그 뒤 《인간불평등기원론》(1755)이라는 논문에서 한발 더 나아가

사회의 기초가 되는 소유원리 자체를 비판하고

인간의 도덕적 타락은 사유 재산 때문이옷!

법이라는 것도 부자들의 이익을 위한 도구라고 주장했어.

신분 제도와 사유 재산 제도를 당연한 것으로 받아들이고 살던 사람들로서는 충격이 컸을 거야.

루소가 한 말이 대체 뭔 뜻이야?

그러게…. 머리 아프니깐 술이나 마시자고.

이어서 그는 《정치경제론》, 《언어기원론》 등을 쓰면서

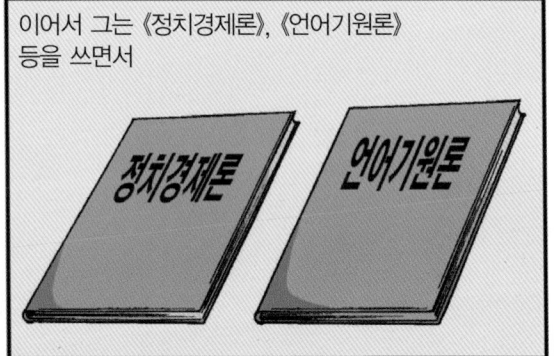

디드로를 비롯한 백과전서파*나

볼테르 등과의 견해 차이를 분명히 했어.

노~ 난 그렇게 생각하지 않소!

특히 《달랑베르에게 보내는 연극에 관한 편지》(1758) 이후 디드로와는 절교 상태에 이르렀지.

*52쪽 참고

루소는 문학에도 재능을 발휘해

서간체 연애 소설인 《신 엘로이즈》(1761)를 펴냈는데

스위스의 레만 호를 배경으로
가정교사인 생푸레와
그의 제자인 쥘리 사이의
사랑을 그린 낭만주의
문학의 선구 작품

이는 유럽 전역에서 대단한 성공을 거두었어.

역시 루소야.

대단해요~

유 럽

이어서 그의 나이 마흔 살 때 《사회계약론》(1762)과 소설 형식의 교육론 《에밀》을 차례로 펴냈어.

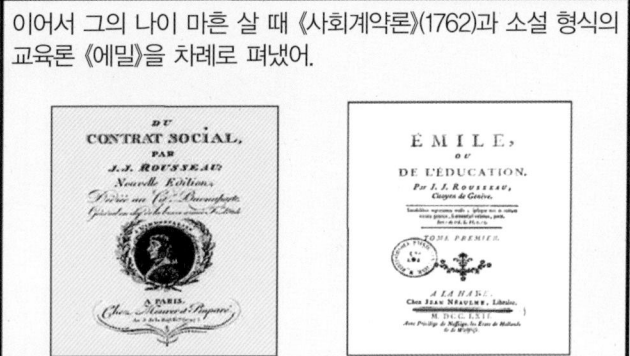

그러나 《에밀》이 출판되자

파리 대학 신학부가 루소를 고발했고

파리 고등법원은 루소에게 유죄를 선언했어.

유죄를 선고한다!

책도 모조리 압수하고 루소를 체포해라!

체포령이 내려지자 루소는 프랑스를 황급히 떠났어.

Good Bye France

그는 고향인 주네브로 가려 했으나

주네브 시의회도 《에밀》과 《사회계약론》을

혹독하게 비난하고 책을 불태우기까지 했어.

루소는 스위스 모티에로 가

그곳에서 3년 동안 머물렀어.

거기서 파리 대주교에게 답변서를 쓰기도 하고

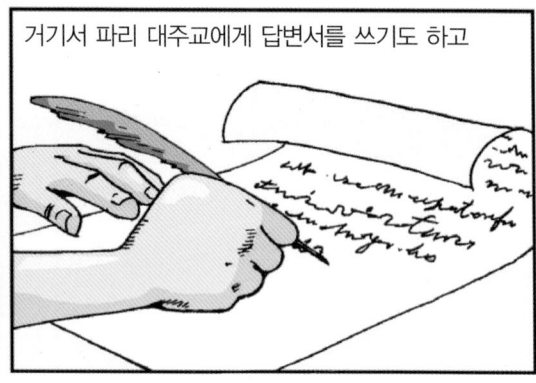

주네브 시의회의 기혹한 처사에 항의하도록 지지자들을 설득하기도 했지.

여러분의 힘이 필요합니다.

한편 《신민들의 의견》이라는 소책자가 시중에 돌면서 루소에 대한 비난 여론은 더욱 거세졌어.

루소는 물러가라!

익명으로 출간되긴 했지만 볼테르가 쓴 것으로 추정되지.

흐흐흐….

신민들의 의견

작가 미상

어느 날 밤에는 모티에 주민들이 루소의 집에 돌을 던지는 일도 있었지.

루소는 더 이상 견디지 못하고 다시 생피에르 섬으로 도망쳤단다.

이번엔 섬이다!

그러나 그곳에서도 위태로운 나날이 계속되었어.

마침 영국의 철학자 데이비드 흄이 그를 초청해 주어서

환영합니다.

영국으로 건너갔지만 그곳에서도 흄과 격렬한 논쟁을 벌이고

말도 안 되는 소리!

누가 할 말을!

1767년 다시 프랑스로 돌아왔지.

흄

프 랑 스

그는 이후 프랑스 각지를 전전하다가 자전적 작품인 《고백록》을 완성했어.

고백록

2부 12권으로 되어 있는 《고백록》에서 루소는 자신의 모든 것, 심지어 나쁜 짓과 부끄러운 일까지 전부 고백했어.

7세 때 바지에 오줌을 싸 놓고 안 싼 척했습니다.

15세 때엔 옆집 살던 르네의 일기장을 훔쳐봤습니다.

배가 고파서 빵과 포도주를…

프랑수아 씨의 시계가 탐이 나 훔쳤습니다.

사람들에게 거짓말을 해 놓고 아니라고 우겼습니다.

덕분에 오늘날 《고백록》은 루소를 연구하는 학자들이 가장 먼저 검토하는 자료가 됐지.

루소를 알고 싶으면 꼭 읽어 봐야 할 책입니다.

물론 한 편의 문학 작품으로도 높은 평가를 받고 있어.

고백록

루소

그는 지라르댕 후작의 영지에서 지냈는데

줄곧 피해망상으로 괴로운 나날을 보내고 있었어.

이때 《루소, 장 자크를 재판한다》와 《고독한 산책자의 몽상》을 쓰기 시작했지만 완성하지는 못했어.

말년에는 식물학에 깊이 빠져 식물을 연구하고

이 나무는 여러해 살이…

식물들과 대화하는 것을 즐겼지.

안녕~ 친구들 잘 잤어?

1778년 파리 근교로 이사하게 되었는데

그곳에서 루소는 아침을 먹으러 자리에 앉았다가 쓰러졌어.

'뇌졸중'이 최종 사망 원인이었어.

루소의 유해는 1794년에 팡테옹으로 옮겨졌단다.

팡테옹은 프랑스의 위인들이 묻힌 묘지로 유명하지. 현재 팡테옹에 올린 프랑스 문인들은 루소를 비롯하여 알렉상드르 뒤마, 볼테르, 에밀 졸라, 빅토르 위고, 앙드레 말로 등 여섯 명이야.

막내야, 커피 한잔!

나도!

흥! 칫!

도대체 루소는 왜 이렇게 도망을 다녀야 했을까?

아~ 치인다.

그때 문제가 된 것은 《에밀》의 '사부아 보좌신부의 신앙 고백'이라는 장에 실린 한 부분이었어.

어떤 종교를 믿든 관용을 베풀어야 한다.

《사회계약론》에도 이와 유사한 내용이 실려 있는데

당시 더 큰 문제가 된 것은 《에밀》이었지.

루소를 잡아라!

물러가라!

에밀을 불태워라!

그는 당시의 전통과 기득권을 부정하고

기득권 전통 뻥

자신의 생각을 거침없이 드러냈지.

전부 틀려! 썩었어!

그래서 박해와 수모를 많이 당했고

니 팔뚝 굵다!

자기만 잘났대.

사람들과 늘 불화했단다.

흥! 니들이 게 맛을 알아?

그러나 그의 생각에 공감하는 사람들이 점점 늘어가고

루소 루소

결국 그의 자유 민권 사상은 프랑스 혁명의 이념적 토대가 된 거야.

고아나 다름없었던 성장기와 청년기의 경험은 루소에게 소중한 자산이 되었어.

루소는 사람의 본성과 사회 제도, 귀족과 노예 제도 등에 대하여 비판적 안목을 키웠고 그런 것들이 그의 사상의 바탕을 이루었지.

사람의 본성　사회 제도
귀족과 노예 제도　비판적 안목

루소는 《사회계약론》을 쓸 때나 《에밀》을 쓸 때나 늘 한결같이 자연을 예찬했어.

그의 철학, 정치학, 종교론, 교육학, 행복관 등은 모두 자연과 결부되어 있단다.

철학　정치학　종교론　교육학　행복관

《사회계약론》이나 《에밀》에서의 자연은 인간의 참된 모습이란다.

자연 = 인간
인간 = 자연

그는 인간 회복을 일관되게 외치면서

자연 상태의 인간 회복 없이는 행복할 수 없다!

인간의 본성을 자연 상태에서 파악하고자 했어.

오~ 이곳은 자연 상태의 인간들이 많군.

당연한 거잖아! 뭘 그리 뚫어져라 봐!

인간은 자연 상태에서는 자유롭고 행복했으나

사회 제도에 의해 부자유스럽고 불행한 상태에 빠졌기 때문에

사람 살려!

다시 참된 인간의 모습(자연)을 발견하여 인간성을 회복하지 않으면 안 된다는 거야.

독일 철학자 칸트*에 관한 유명한 일화가 있단다.

안녕!

그는 루소와 달리 규칙을 잘 지키고 몸가짐이 단정한 '범생이' 타입의 학자였어.

그는 매일 정해진 일과를 정확하게 지키기로 유명해서

*임마누엘 칸트(1724~1804) : 독일의 철학자

동네 사람들이 칸트가 산책하는 모습을 보고 시간을 알 수 있을 정도였대.

칸트 씨가 아침 산책을 하시니 9시겠네요.

그런 칸트가 단 한 번 자신의 규칙적인 일과를 지키지 못한 적이 있는데

으~ 칸트 씨가 안 보이니까 시계를 못 맞추겠어.

딸랑

딸랑

어디 아픈 건가?

그 이유는 바로 루소의 《에밀》을 읽는 데 너무 열중한 나머지

그날의 산책을 포기했다는 거야.

너무 너무 감동적이야.

거푸 세 번이나 읽어 버렸네.

칸트 역시 뛰어난 소수의 노력으로 무지한 사람들을 더 낫게 만들 수 있다고 믿는 학자였지만

국민 여러분! 늘 깨어 있어야 합니다.

뭐래?

루소를 접하고선 크게 깨달았다고 해.

아! 나는 아직도 멀었구나.

당시 루소와 루소의 사상에

어떤 식으로든 영향을 받지 않은 사람은 드물 거야.

정말 훌륭해.

사회학자 하우저의 말에 따르면

에~

하우저

18세기 말이 되면

지식인 가운데

루소의 사상에 영향을 받지 않은 사람이 거의 없었다는군.

중국 언론사가 선정한 근·현대 중국에 영향을 끼친 50명의 인물 가운데서도 루소가 첫자리에 올랐단다.

영국 《타임》 지는 지난 1000년간 인류에게 큰 영향을 미친 인물 중 하나로 루소를 꼽았지.

TIM

루소에 대해서는 여러 가지 다양한 평가가 공존하는데

평범함 속에 오묘함이….

시대를 앞서 간 사람!

멋져!

인류 역사상 가장 위대한 인물!

엉터리.

공통분모로 하나 뽑자면 그가 인류 역사에 지대한 영향을 끼쳤다는 사실일 거야.

사회계약론

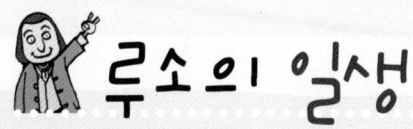 루소의 일생

1712년 : 6월 28일 스위스의 주네브에서 시계 수리공인 이자크 루소의 둘째 아들로 태어남. 다음 해 어머니가 세상을 떠남.

1724년 : 숙부의 집에 살면서 법원 서기의 견습생으로 일하다가 다음 해 동판을
(12세) 조각하는 사람의 견습공이 됨.

1728년 : 주네브를 떠난 후 안시에 머물다가 바랑 부인을 만남. 이탈리아로 가서
(16세) 개신교를 버리고 가톨릭교로 개종 세례를 받음. 구본 백작 집에서 하인으로 일함.

1729년 : 신학교의 성가 대장으로부터 음악을 배운 후 음악에 열중함. 다음 해부
(17세) 터 음악 교사로 스위스와 프랑스를 두루 다님.

1737년 : 화학 실험을 하다가 폭발 사고가 일어나 눈을 다침. 주네브의 내란을 목
(25세) 격하고 무질서와 폭력에 대해 혐오감을 느낌.

1743년 : 《현대 음악론》을 간행하고 오페라 〈끼 있는 뮤즈들(Muses galantes)〉을
(31세) 만들기 시작함. 7월에 베네치아 주재 프랑스 대사의 비서로 근무하면서
《정치제도론》을 구상함.

1749년 : 달랑베르의 권유로 《백과전서》의 음악 항목을 집필하고 디드로를 만남.
(37세) 다음 해 디종 아카데미의 논문 현상 공모에 당선되어 이름을 알리기 시작함.

1755년 : 4월에 《인간불평등기원론》, 《정치경제론》을 출간함.
(43세)

1762년 : 4월에 《사회계약론》, 5월에 《에밀》을 출간함. 《에밀》이 금서로 지정되어
(50세) 루소의 체포령이 떨어짐. 스위스를 거쳐 프로이센으로 도주함.

1776년 : 《고독한 산책자의 몽상》을 쓰기 시작했으나, '추적 망상증'이라는 정신
(64세) 병 증세로 고통을 받음.

1778년 : 7월 2일 세상을 떠남. 1794년 후 유해가 파리의 팡테옹으로 옮겨져 볼테
(66세) 르와 나란히 묻힘.

백과전서파와의 우정과 결별

학문을 집대성한 대규모 출판 사업

백과전서(百科全書)파란 프랑스에서 백과전서(Encyclopédie, 1751~1781년 발간)를 집필하고 발간하는 일에 참여한 계몽 사상가들의 집단을 이르는 말이다.

백과전서는 18세기 유럽의 과학과 기술 등의 학문을 집대성한 대규모 출판 사업으로 탄생한 책으로 유명한데, 본문은 19권, 그림은 11권으로 된 대사전이다. 백과전서에 담긴 내용은 이성을 존중하고, 교회를 강하게 비판하는 성격을 띠어 발행 금지를 당하고, 집필에 참여한 학자들이 정부의 핍박을 받기도 했다. 그리고 백과전서는 1789년에 일어난 프랑스 대혁명의 사상적 기반이 되는 역할을 하여 유럽의 구질서를 무너뜨리는 계몽사상의 상징이 되었다. 프랑스 대혁명을 이끈 사람 중의 하나인 로베스피에르는 "백과전서파의 영향과 정책을 무시하는 사람은 아무도 우리 혁명의 서곡에 대해 완전히 이해할 수 없을 것이다."라고 말할 정도였다.

1772년에 발간된 《백과전서》에 포함된 그림. 가운데 빛을 내며 서 있는 사람은 계몽을 상징한다.

184명의 사상가

백과전서 작업에 참여한 사람들은 모두 184명에 이를 정도로 광범위했는데, 볼테르, 몽테스키외, 디드로, 달랑베르 등 당시 프랑스의 대표적인 계몽 사상가들이 중심이 되었다. 따라서 백과전서파라고 하면 이들을 가리킨다. 루소는 디드로가 백과전서의 편집자가 되었을 때, 음악과 정치 경제학에 관한 항목을 맡아 집필에 참여하였다. 정치 경제학 분야의 집필 경험은 나중에 《사회계약론》이 탄생하는 데 밑거름이 되었다.

《백과전서》를 주도적으로 발간한 디드로.

다른 가치관, 엇갈린 행보

루소가 백과전서 작업에 참여하기는 했으나, 작업을 주도한 볼테르, 디드로 등 백과전서파와는 가치관이 좀 달랐다. 계몽을 '인간이 자신의 미성숙 상태로부터 벗어나는 것'으로 넓게 정의한다면 해방된 인간의 자유로운 상태를 꿈꾼 루소는 백과전서파 사상가들과 큰 차이가 없을 것이다. 그러나 범위를 좁혀서 바라볼 때 루소와 백과전서파 사상가들이 추구하는 사상적 가치관에는 분명한 차이점이 있었다. 루소는 처음부터 지식보다는 감성을 중요시했고, 인위적인 문화보다는 본성적인 자연을 더 강조했기 때문이다. 백과전서파 계몽 사상가들은 합리적인 이성으로 역사를 평가했으나, 루소는 인간의 자연적인 감정을 기준으로 역사를 평가하려고 했다. 또한 백과전서파가 종교를 부정하는 유물론적인 입장이었다면, 루소는 인간의 선한 도덕성을 바탕으로 하는 자연 종교를 믿었다. 그러므로 어떤 의미에서 루소의 계몽사상은 이중적이라는 비판을 받을 수 있었다. 그래서 백과전서파 계몽 사상가들은 루소의 사상을 계몽사상의 반동으로 규정하기도 했다. 이러한 차이점으로 루소는 백과전서파와 끝까지 함께하지 못하고 나중에 볼테르와 사이가 나빠졌고, 디드로와는 결별까지 하게 되었다.

제3장 인간은 자유를 가지고 태어났다

루소가 쓴 원저를 직접 보고 싶다면 머리가 맑을 때 읽는 게 좋을 거야.

걱정거리가 있다거나 배가 몹시 고프다거나 잠이 쏟아질 판이라면 다음 기회로 미루는 게 좋아.

잠도 잤고

밥도 많이 먹었으니 이제 읽어 볼까.

루소의 열정적인 글과 사상을 따르려면 온 정신을 집중해야 하거든.

으음

그렇지만 다 읽고 났을 때의 뿌듯함은 아주 크단다.

으~ 드디어 다 읽었다.

나 자신이 자랑스럽네.

맛있는 피자 한 판을 먹었을 때의 포만감과 비슷하다고 할까?

자, 그럼 시작해 볼까!

루소가 이 책에 남긴 명언을 보면

인간은 원래 자유로운 존재로 태어났다.

그러나 인간은 어디서나 쇠사슬에 묶여 있다.

사람은 자유로운 존재인데 쇠사슬에 묶여 있다니 무슨 말일까?

혹시 18세기 유럽에서 쇠사슬이 유행했던 것은 아닐까?

이번에 새로 산 쇠사슬이야, 멋있지?

어머, 꽤 묵직해 보이는걸….

노예를 연상시키는 과감한 의상과 액세서리가 인기를 끌었을지도 모르잖아.

하지만 그건 아닐 거야.

하하…

NO NO

당시에 쇠사슬은 죄인에게만 해당되는 물건이었어. 그럼 루소가 말한 쇠사슬은 무엇일까?

우선 인간이 자유로운 존재라는 근거부터 따져 보자고.

I Want Freedom

루소는 자유를 인간 본성의 결과로 보고 있어.

자유

그게 무슨 소리냐고? 잘 들어 봐.

모든 인간에게는 자기 자신을 지키고 보호하는 게 가장 중요해.

누구나 자기 자신을 보존하기 위한 최상의 방법을 끊임없이 찾지.

그래도 불안하네.

묘책이 없을까?

말하자면 자기가 <u>스스로를</u> 보호하고 책임지고 있다는 소리인데

이 말은 자기의 주인은 바로 자신이라는 거지.

나의 주인은 바로 나. 난 소중하니까…

자신이 주인이니, 결국 인간은 모두 자유롭다는 말이지.

아~ 하지만 너희들은 미성년자니까 아직은 부모님의 보호를 받아야 한단다.

그러니 자유를 달라고 부르짖고 싶어도 조금만 참으렴!

자 유

잘먹겠습니다

그러나 모든 인간이 자유롭다는 주장은 당시로선 파격적인 거였어.

오~ 어떻게 저런 말을…!

그 당시 사회 분위기나 사상과는 동떨어진 주장이었지.

자유야~

이해하기도, 수용하기도 힘들었어.

우~ 루소는 물러가라!

그때까지만 해도 사람들은 인간은 날 때부터 자유로운 인간과 자유롭지 못한 인간으로 나뉜다고 생각했거든.

태어날 때부터 강자와 약자, 지배자와 피지배자로 구분되어 있다는 생각이 기초 상식이었으니까.

이리와… 쪼매난 예쁜아.

히익!

로마의 칼리굴라 황제는 왕은 신이고 국민은 가축이라고 주장했다니 놀랍지?

인류는 여러 가축의 무리로 나뉘는데 각 무리의 주인이 따로 있다는 거야.

주인은 무리를 보호해 주고 가축은 주인에게 복종한다는 거지.

충성을 맹세합니다!

주인은 가축을 예뻐서 보호하는 게 아니라

많이 먹고 쑥쑥 크거라.

나중에 잡아 먹기 위해서라는군.

호호호‥

주인 노릇을 하는 인간은

당연히 가축 노릇을 하는 인간보다 우월하다는 논리지.

칼리굴라의 눈에는 세상이 동물 농장 정도로 보였겠는걸.

그 유명한 아리스토텔레스도

가장 행복하다고 생각하는 사람이 가장 행복한 사람이다!

노예로 태어나는 사람과 지배자로 태어나는 사람이 따로 있다고 봤어.

인간은 결코 평등하지 않다는 거지.

그러나 루소가 보기에 이는 아리스토텔레스가 노예제의 결과와 원인을 혼동한 탓이었어.

선배님 그게 아니라.

오~

그런가?

노예 제도와 신분 제도가 있기에

도... 노예 신분 제도

노예의 신분으로 태어난 사람은 노예가 되는 거고

지배자의 신분으로 태어난 사람은 지배자가 되는 게 아니냐는 거지.

동서양을 막론하고 노예 제도는 오랜 옛날부터 있어 왔고

어험!

대감 기침 하셨어라….

그들은 실로 비참한 삶을 살았어.

아~ 배고파.

그들은 아무것도 가질 수도, 누릴 수도 없었어.

심지어 자유로워지려는 욕망조차 잃은 채 자신의 처지에 순응하며 살았지.

그럼, 인류 역사에 노예 제도가 등장하게 된 것은 무엇 때문일까?

노예 제도

루소는 그 원인을 폭력이라고 보고 있어.

강자가 약자를 힘으로 굴복시키고 노예로 만들었다는 거야.

아주 먼 옛날에 인간들은 따로따로 떨어져 살았는데

그렇게 홀로 살다가 언제부터인가 모여 살기 시작했고 차츰 마을을 이루고 부족을 이루고 나라까지 이루게 된 거지.

여기까지 우리나라다.

그럼 여기는 우리나라.

우리나라

여기서 중요한 건 '모여 살기' 시작했다는 건데, 왜일까?

바로 생존을 위해서야.

히익! 사람 살려~

살아남기 위해 힘을 합칠 필요가 있었던 거지!

파파파

잡아라!

그런데 한 가지 중요한 사실은 사람들이 모였다고 해서 저절로 힘이 합쳐지고 강해지는 않는다는 거야.

바글

바글

능력과 개성에 따라 일을 맡고

전방 경계.

난 후방.

각자 최선을 다할 때에만 뭉침의 효과를 볼 수 있는 거란다.

그럼 역할과 위치를 어떻게 정하느냐 하는 문제가 생기겠지.

자유롭게 정하다 보면 서로 의견이 달라 싸움이 일어날 수도 있고

내가 대장 할래!

무슨 소리! 대장은 나야.

그러다간 시간만 흘려 보낼 수 있으니까.

결국 시간만 보냈군.

그러게. 지금이라도 자네가 대장 하게.

이럴 때는 무리 중에서 두각을 나타내는 사람이 하나씩 생기기 마련인데

이 사람이 나서서 통솔하고 지시를 내리게 되지.

당신은 저기, 넌 여기!

충성!

단, 목소리가 크다고 되는 건 아냐.

아~아~ 마이크 테스트! 아~아~

리더의 지도하에 사냥이나 낚시, 요리 등 각자 경쟁력 있는 분야를 하나씩 맡다 보면

으~

난 요리랑 어울리지 않는데 역할 전달이 잘못됐나?

사냥은 너무 무서워.

자연스럽게 분업이 이루어져.

말하자면 단순한 무리에서 조직으로 변신하게 되지.

우리요?

당신들 말고….

여기서 중요한 건 지도자는 원하건 원치 않건 권력을 지니게 된다는 거야.

형효…

이러한 지도자는 인류 역사상 다양한 형태로 모습을 바꿔 왔어.

우가

우가

원시 시대의 족장을 거쳐 제사장, 황제, 절대 군주를 지나 지금의 대통령, 수상에 이르고 있지.

Hi

그럼 지도자는 어떻게 지도자가 되는 걸까?

그냥 자기가 지도자 하겠다고 나서면 지도자가 되는 걸까?

저요~ 제가 임원할게요!

요즘엔 어떤 단체든 선거를 통해 지도자를 뽑지만

이근삼 조명원 이남고
이근삼
이근삼

후보들 중에서 표를 가장 많이 얻은 사람을 선출하는 방식이 자리 잡은 건 극히 최근의 일이야.

감사합니다. 열심히 하겠습니다.

가축으로 여겨지기까지 했던 국민들이 자기 손으로 지도자를 뽑는다는 것은 누구도 상상 못할 일이었거든.

그 전까지는 신이 지도자를 정해 준다고 믿었단다.

그는 신의 대리자로서 인간 세상을 통치했어.

줄 서! 줄….

지배자와 피지배자가 되는 것은 신의 뜻이었고

오~ 신이시여.

날 때부터 그렇게 정해져 있다고 믿어 왔어.

노예들 역시 신의 뜻에 따라

응애

그렇게 태어난 존재로 여겨졌고.

불쌍한 우리 아기.

응애~

앞서 이야기한 생각들이 뿌리내리게 된 데는 학자들의 기여가 컸어.

학자들은 지배자의 입맛에 맞게 이론을 펴곤 했지.

오~ 멋진걸.

루소가 비판해 마지않는 그로티우스와 그의 친구들은

왕이 누리는 권력은 정당한 것이라고 주장하기도 했어.

개인이 자신의 자유를 내놓고 주인의 노예가 되는 것처럼

국민도 자유를 내놓고 국왕의 충성스런 국민이 되는 거라고 했지.

물어 와!

국민을 노예에 비유하는 것부터 몹시 신경에 거슬리지?

오~

잘했어.

멍멍….

참고로 그로티우스가 어떤 사람인지는 알고 넘어가자고.

그로티우스

그는 16세기 말부터 17세기에 걸쳐 살았던 사람이야.

16세기   17세기

네덜란드의 델프트에서 출생했으며 법학자이자 외교관이기도 했어.

근대 자연법의 원리에 입각해 국제법의 기초를 세워 '국제법의 아버지'라 불리는 사람이지.

전쟁과 평화의 법

그로티우스

사회계약론

그런데 루소가 보기에 그의 주장은 가당치도 않았어.

말도 안 되는 소리!

노예와 국민은 근본적으로 입장이 다르고 경우가 다른데

노예

국민

그로티우스는 그것을 깡그리 무시하고 있었기 때문이지.

다~ 필요없어!

휙

남의 노예가 되는 사람은 살기 위해 자유를 포기한 것이지만

국민은 자유를 내놓고 왕으로부터 과연 무엇을 얻느냐는 거야.

자유

하다못해 왕이 국민에게 일용할 양식을 주는 것도 아니면서 말이야.

나만 배부르면 그만이지 국민은 무슨.

오히려 왕이 국민들로부터 양식을 얻을 뿐만 아니라

다음 사람….

온갖 사치를 일삼잖아.

잘 어울려?

국민은 결국 왕에게 자유도, 재산도 바치고 있는 셈이지.

안 먹어도 배 부르구먼.

국민이 자발적으로 자유와 재산을 내놓았다면 또 몰라도

오~

폐하께 드리는 저의 마음입니다.

그래 그래. 훌륭한 국민 이로다.

자유를 포기하는 것은 인간의 존엄성, 권리 그리고 인간의 의무, 이 모두를 포기하는 거야

존엄성

권리

풍덩

루소가 보기에 이러한 포기 행위는 인간의 본성에 어긋나는 짓이야.

인간이길 포기하면 안 되는데….

국민이 인간 본성에 어긋나는 짓을 원했을 리가 없겠지.

그럼… 결론은?

국민은 자기 뜻에 따라 왕에게 자유를 내놓은 게 아니라

왕에게 자유를 빼앗겼다는 거지.

내놔!

노예에 대한 그로티우스와 그의 친구들의 애착은 유별나서

쑥스럽게 내 얘기를 왜 이리 많이 하는 거야.

뭐~ 나쁜 얘기는 아니겠지?

노예제가 생겨난 기원을 전쟁을 통해 설명하기도 해.

그들의 주장에 따르면

승자에겐 패자를 죽일 권리가 있고

패자는 자유를 내놓고 노예가 됨으로써 목숨을 건질 수 있었대.

승자는 노예를 얻고 패자는 생명을 되찾을 수 있으니 둘 다 이익이라는 거야.

간신히 목숨을 건졌네.

전쟁 비용이 많이 들었지만 노예 5,000명을 얻었으니까 손해는 아냐.

전쟁의 승자라고 해서 패자를 죽일 권리를 갖는 게 당연한 것일까?

루소는 전쟁에서 이겼다고 살인 면허라도 가진 것처럼 생각하는 건 큰 잘못이라고 조목조목 반박하고 있어.

손 똑바로 들엇!

전쟁에서 이겼다고 마음대로 살인이라니… 좀 더 인간답게 굴지 못해?

스파이 영화인 007 시리즈 16탄의 제목이 〈살인 면허〉이긴 하지만

그건 영화 속 얘기일 뿐이고

Licence To Kill

전쟁이란 것은 개인 대 개인의 싸움이 아니라

가위, 바위, 보!

어디까지나 국가와 국가 간의 싸움이라는 거야.

국가

국가

개인의 싸움, 결투, 충돌, 이런 것들과는 차원이 다른 거지.

홀!

짝!

전쟁에 참가한 병사들은 서로 얼굴도 모르던 사이이고

처음 뵙겠습니다. 일단 인사하고 싸웁시다.

네… 만나서 반갑습니다. 이제 싸울까요?

아무런 원한도 없는데 졸지에 서로 적군이 되어 싸워.

미안합니다.

으~ 내가 왜 저 사람과 싸워야 하는 거야?

당연한 소리지만 국가는 상대 국가 자체를 적으로 삼아야지

상대국의 개인을 적으로 삼아선 안 된다는 거야.

움직이지 마!

로마인들도 이 점에서는 신중하고
철저했어.

음…

로마 시민은 전쟁에 나가기
전에 선서를 했는데

선서를 통해 어떤 적을 상대로
싸우는지 명확히 밝혔지!

군인이 아닌
일반 시민은
해치지
않겠습니다!

실제로 이런 일도 있었단다.
어떤 아버지와
아들의 이야기야.

아들이 전투를 하던 중 군대 체제가
새로 바뀌게 되었는데

그러자 아버지가 사령관에게
편지를 보냈대.

최초의 선서가 무효가 되었으므로 아들이 처음의 적과
더 이상 싸울 수 없게 되었으니.

만약 전투에 계속 내보낼 생각이라면 선서를 새로 시켜야
한다고 지적한 거야.

그는 아들에게도 편지를 썼어.

아들아 다시 선서를
하지 않는 한 전투에
참가하지 말거라…
아비로서 당부하느니
부디 헤아려 주기 바란다.

참으로 꼬장꼬장한
시민이지.

그렇지만 원리 원칙에 충실한 이런
면모야말로 로마 제국의 원동력이
아니겠니?

현재의 전쟁은 창과 방패를 들고 싸우던 옛날과는 달라서 첨단 컴퓨터가 사람을 대신해 싸운단다

오늘은 기필코 레벨업!

컴퓨터와 컴퓨터 간의 싸움이랄까.

TV는 무기 발사 장면을 생중계하고

사람들은 그런 장면을 영화보듯이 보기도 하거든.

인터넷은 네티즌들이 실시간으로 퍼나르는 정보로 넘쳐 흐르고….

확실히 전쟁의 양상은 달라졌어.

가까운 미래엔 영화에나 나올 법한 로봇이 만들어져 전쟁을 하게 될지도 모를 일이지.

하지만 전쟁이 일어나는 주된 원인은 바뀌지 않았어.

공격하라! 받아랏! 으…. 공격!

지도자들의 어리석음 내지 탐욕으로 전쟁이 일어나곤 해.

저곳도 빼앗자! 흥! 절대 빼앗길 순 없지!

내땅

다시 승자의 권리에 대해 얘기를 더 해 보자고.

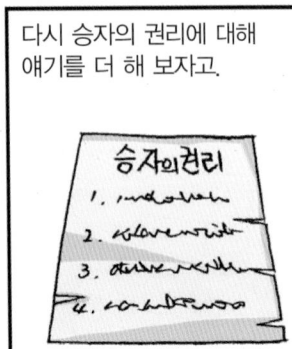

루소에 따르면 전쟁의 목적은 적국을 정복하는 것이니까

적국의 병사들이 손에 무기를 들고 있다면 적군을 죽이는 게 마땅해.

으~ 나의 죽음을 적에게 알리지 마라….

그렇지만 적군일지라도 일단 무기를 버리고 항복하면

항복!

그들은 더 이상 적이 아니야.

이제 싸우지 맙시다, 하하!

그럼요… 우린 친구!!

다시 인간으로 되돌아오는 거야.

'인간' 인 그들을 죽일 권리를 가진 사람은 아무도 없어.

적국의 병사에 대해서도 이러한데

패전국의 국민에 대해서는 더 말할 것도 없지.

그들을 죽일 권리나 노예로 삼을 권리를 가진 사람은 아무도 없는 거야.

게다가 승자와 패자의 관계라는 것도 일시적일 뿐 결코 영원하지 않아. 프로야구 한국 시리즈를 봐도 진정한 승자는 7차전까지 가 봐야 알잖아.

전쟁의 승자이거나 강자라고 해서 영원한 지배자일 수는 없는 거지.

승자와 강자의 무기는 폭력인데

이 폭력이란 것은 한낱 물리적인 힘에 불과한 거거든.

까울!

뻑

물론 사람은 누구나 '힘'이라는 것에 매료될 때가 있지.

까불고 있어!

잉~

홀쩍!

멋져….

그러나 '힘'을 쓴다는 것이 항상 아름다운 행위인 건 아니란다.

바보.

난 친구가 되고 싶었던 건데….

알아, 알아, 안다고. 너희들 온몸에 피가 펄펄 끓지?

하나 둘! … 백만 스물하나. 백만 스물둘.

그래서 울끈불끈 솟는 힘을 주체 못하겠지?

크으아

주먹이 늘 근질거려서 여차하면 뻗어 나가지.

태권!

태권도!

하지만 정말로 필요할 때 쓰자면 힘을 아껴 두는 게 좋을 거야.

휴식엔

잠이 최고지.

그리고 진짜로 강한 사람은

눈빛만으로도 상대를 제압하는 사람이란다.

쩌리릿

강력한 포스(Force)가 느껴지는 눈빛. 그런 거지. 허허허….

후우

후우

얘기가 또 옆으로 샜군.
다시 제자리로.

미안!

만약 내가 권총을 든 강도에게 털렸다면

손들고
전부 다 내놔!

그는 폭력을 휘둘러서 내 물건을
강제로 빼앗은 게 되는 거지.

나는 그 사람의 폭력에 굴복했지만

이는 순전히 살기 위해서 그런 거니까

돈보다는
목숨이
소중하니까….

내 의지의 행위가 아닌 거야.

의무나 책임 때문도 아니지.

내 가방도
들고 가!

아… 아
알겠어.

누구든 폭력에 복종할 의무는 없어.

너희들
뭐야?

약한 친구를
괴롭히지 마!

폭력은 잠시나마 지배와 복종의
관계를 만들 수도 있지만

잉

잉

사회 질서를 만들어 낼 수는 없어.

뭘…

고마워.

따라서
폭력만으로는
어떠한 권력도
만들어지지
않아.

또한 다른 사람을 지배할 권력을
타고난 사람도 없어.

권력

자, 이제 정리를 해 볼까?

루소의 주장에 따르면 사람이 권력에 복종하려면 복종함으로써 무엇인가 이익이 있어야 해.

날 따라오면 재미있는 곳에 갈 수 있다.

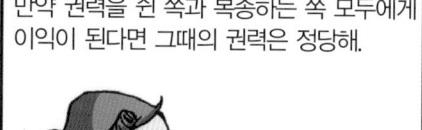

만약 권력을 쥔 쪽과 복종하는 쪽 모두에게 이익이 된다면 그때의 권력은 정당해.

그리고 양자가 힘을 합쳐

공평하고 합리적인 관계를 만들어 갈 수 있을 거야.

결론적으로 합법적으로 정당한 권력은

여러 의원님들의 의견을 수렴해 이번 안건은 만장일치로 통과됨을 알려 드립니다.

양쪽 모두에게 이익이 되는 계약, 다시 말해 모두가 기쁜 마음으로 받아들일 수 있는

짝짝짝

사회계약에 바탕을 두어야 한다는 거야.

인간에게서 자유를 빼앗고

절대적인 복종만을 요구하는 계약은 무의미하고 가치 없는 계약일 뿐이야.

그로티우스의 《전쟁과 평화의 법》

인간의 자리로 내려온 자연법

그로티우스는 1583년 네덜란드에서 태어난 법학자이다.
타고난 천재였던 그로티우스는 11세 때 대학 교육을 받은 후 변호사가 되었다. 그러나 1619년 종교 분쟁에 휘말려 감옥에 갇혔다가 3년 후 아내의 도움으로 프랑스 파리로 건너가 그곳에서 《전쟁과 평화의 법(On the Law of War and Peace)》을 저술하였다. 그는 《전쟁과 평화의 법》에서 국제법의 기초를 최초로 세워 '국제법의 아버지'라 불리게 되었다.

그로티우스의 《전쟁과 평화의 법》을 이해하기 위해서는 16세기 이후 자리 잡기 시작한 근대 자연법의 개념을 먼저 파악할 필요가 있다. 《전쟁과 평화의 법》은 근대 자연법을 토대로 쓰인 책이기 때문이다.

자연법이란 인간 이성의 자율성을 존중하는 법으로 그 근원은 고대 그리스 철학과 로마의 스토아학파에서 찾아볼 수 있다. 그러나 기독교 중심의 신본주의가 맹위를 떨쳤던 중세 시대에 자연법은 신학 원리에 의해 지배되었다. 왜냐하면 중세 사람들은 인간의 이성에 의해 자연적인 것으로 생각되는 모든 법의 원천이 신이라고 믿었기 때문이다.

그러나 신을 중심에 둔 중세적 자연법은 16세기 이후에 일어난 종교 개혁과 과학 혁명으로 한계에 이르게 되었다. 따라서 법학자들은 신적인 원리보다 인간 이성의 자율성을 강조하기 시작했고, 이 원리를 토대로 하여 근대 자연

국제법의 아버지라 불리는 휘고 그로티우스.

법 사상의 기초를 닦았다. 그들은 자연법을 성경에서 나타나는 신의 절대적인 의지와 같은 초월적인 원리가 아니라, 합리적이라고 생각되는 인간의 '이성' 에서 뿌리를 찾았다. 그러므로 근대 자연법은 인간이 사회생활을 하는 데 꼭 필요한 것으로 보이는 사회성이나 편익과 관련된 내용으로 새로 채워지게 되었는데, 대표적인 법학자가 바로 그로티우스였다.

《전쟁과 평화의 법》 속표지.

신의와 지성의 강조

《전쟁과 평화의 법》을 보면, '인간에게 특징적인 성질은 사회를 향한 억제할 수 없는 욕구, 즉 사회생활에 대한 욕구이다. 그것은 지성이 명령하는 바에 따라 자신과 비슷한 사람들과 평화롭고 조직화된 사회를 이루려 하는 경향을 띤다. 스토아 철학자들은 이를 가리켜 사교성이라 불렀다. 그러므로 보편적 진리인 것처럼 간주되는 주장, 즉 모든 동물은 본성적으로 오직 스스로의 이익만을 추구한다는 생각은 결코 받아들일 수 없다.' 는 글이 들어 있는데 이는 무엇보다 인간 지성을 인정하는 내용이며, 그는 이 책을 통틀어 인간 사이의 신의를 지키는 일이 모든 법질서의 근본임을 주장하고 있다.

이러한 그로티우스의 생각과 글을 보면, 《사회계약론》에 그로티우스의 이름이 자주 나오는 것을 이해할 수 있을 것이다. 그 후 그로티우스 등에 의해 토대를 닦은 근대 자연법은 계몽 사상가들에 의해 발전되어 사유 재산권, 사회계약론, 인민 주권설 등의 이론적 배경이 되었고, 미국의 독립 전쟁과 프랑스 대혁명에도 지대한 영향을 미치게 되었다.

제4장 사회계약에 도장 꾸욱!

이제 사회계약론이라는 것이 무슨 의미를 지닌 말인지 대충 알겠지?

사 계약

이제부터는 사회계약이 어떻게 맺어지게 되었는지, 사회계약이 맺어지게 되면 어떻게 되는지

계약

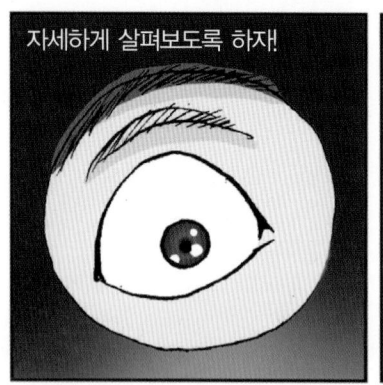

자세하게 살펴보도록 하자!

루소에 따르면 사회계약은 가족 간에도 존재해.

한번 들어 봐!

놀라지들 말고.

가족 사회는 사회 형태들 가운데 가장 오래된 것이야. 그리고 유일하게 자연적으로 형성된 사회지.

자식에게서 또 그 자식에게로, 다시 자식으로 이런 식으로 계속 이어져 왔어. 앞으로도 그럴 것이고.

물론 부부만으로 구성된 가족도 있지만

부모와 자식이 2대, 3대를 이루며 사는 가족이 더 일반적이지.

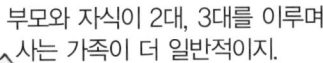

여기서 루소가 지적하는 것도 부모와 자식 사이에 이루어지는 계약이야.

기억하지 못하겠지만

너희는 갓난아기 때부터 부모님께 철저하게 의존하여 살아왔단다.

음식이며 옷이며 책 등 경제적인 것은 말할 것도 없고

정서적으로나 신체적으로도 아직은 부모님의 보호 아래 놓여 있는 상태지.

물론 사춘기에 접어들면서 슬슬 반항심이 생기기 시작하고

위험
손대지 마시오

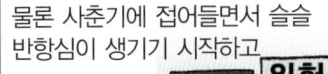

부모님의 보호가 간섭으로 느껴지고 그러지?

TV 그만 보고 공부 좀 하렴.

싫어! 싫어!

이해해! 이해한다고! 나도 겪어 봤거든.

하하하

루소에 따르면 자식이 부모 옆에 있는 것은 자기가 생존하기 위해서래.

그 후 자식이 성장하여 스스로 자립할 수 있게 되면 부모로부터 독립을 하게 되고

부모도 이때 자식으로부터 독립하게 되는 거란다.

부모는 양육의 책임에서 벗어나고

자식들은 부모에 대한 복종의 의무에서 벗어나게 되니까

양쪽 다 독립을 하는 셈이지.

그렇게 되면 부모 자식 간의 자연적 유대는 저절로 끊기게 되지.

그러니 만약 부모와 자식이 여전히 같이 살고 있다면

그건 자연적인 결합이 아닌 합의(계약)에 의해서 그렇단 거지.

듣고 보니 맞는 말 같기도 하고 아닌 것 같기도 하고 아리송하지?

말이 나왔으니 하는 말인데 부모로부터 독립하는 때는 언제가 좋을까?

너희들은 언제쯤으로 계획하고 있어?

부모님과 평생 같이 살겠다고?

넌 출근 안 하니?

혹시 캥거루족으로 일생을 보내겠다는 야무진 계획을 가지고 있는 건 아니겠지?

저, 야무져요?

캥거루족이란 학교를 졸업하고 자립할 나이가 되었는데도 취직을 하지 않거나

게임 좀 그만하고 일자리나 알아봐!

이것만 하고요. 고! 고!

취직을 하고도 여전히 부모님께 의존하는 젊은이들을 일컫는 말이야.

빨리 가서 엄마가 해 준 저녁 먹어야지.

김 대리, 오늘 회식 있는데 어딜 가나?

뱃속에 새끼를 넣고 다니는 캥거루에 빗댄 말이지.

엄마 달려~

프랑스에서는 캥거루족을 다룬 영화가 만들어졌을 정도니

TANGUY
5월 개봉작

그곳은 이미 심각한 사회 문제인가 봐.

TANGUY

프랑스에선 캥거루족을 뜻하는 말로 이 '탕기'를 쓴다고 해.

엄마!

엄마….

탕기족이다.

루소가 사회계약론을 이야기하며 가족을 꺼낸 데는 다 이유가 있어.

다들 모여라.

가족 관계도 이럴진대 지배자와 국민의 관계는 말할 것도 없다는 뜻이지.

와… 맛있겠다.

많이 먹어라.

루소는 국민을 자식으로

지배자를 아버지로 보는 식으로 가족을 정치 사회에 대입했어.

영차!

아빠 최고!

다시 말하면 자식도 대책 없이 무조건적인 복종을 하지는 않는다는 거지.

구두 닦기 한 값 주세요.

그러니 평등하고 자유롭게 태어난 국민들이

지배자들의 말에 순종하도록 하려면

지금 당장 저쪽 땅을 파라!

그들에게 이익이 되는 뭔가가 있어야겠지.

땅 파면 뭐 줄 건데?

이건 국민이 생각하건대

음….

자신들에게 별 도움이 안 되면 '판'을 엎어 버릴 가능성도 있다는

나 안 해!

무시무시한 얘기.

국가와 가족 간에는 하늘과 땅만큼의 차이가 있단다.

부모가 자식을 보살필 때는 사랑의 감정으로 돌보지만

국가는 그렇지 않아.

지배자는 국민에 대한 애정이 전혀 없어.

일해! 일!

오로지 국민을 마음껏 부려먹는 재미로 다스린다는 말씀!

내가 이 맛에 살아.

결국 요지는 가족이든 국가든 공동체라는 것은

국가

가족

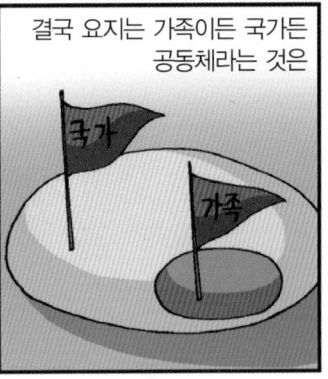

구성원들이 모두 이롭도록 사회계약에 의해 유지되어야 하는 거지.

사회계약

그럼으로써 구성원들은 공동의 힘으로 자신을 보호하고 지킬 수 있게 될 테니까.

우리가 지켜 줄 테니 맘 편히 농사를 지어서 우리에게도 나눠 줘.

식량 걱정은 말고 나라 좀 잘 지켜 줘.

구성원들은 누구에게 지배당하거나

흐흐흐….

너희들의 주인은 나다!

복종할 필요가 전혀 없고

인간 본연의 자유를 누릴 수 있게 되겠지.

일 끝났으니 자러 가야지.

야호!

난 못 다녔던 여행을….

사회계약이 실제로 맺어진다는 것은 여러 가지 의미를 지니는데

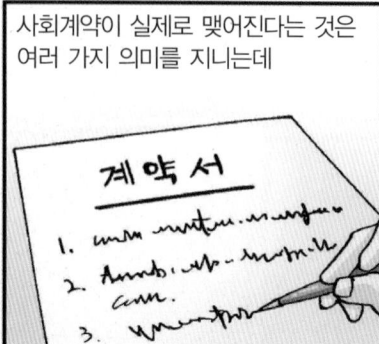

첫째, 모두가 똑같이 자신의 모든 권리를 내놓는 것을 의미해.

전부 같은 조건, 같은 위치에 놓이는 것이니 모두가 평등해지는 거지.

둘째, 그렇기 때문에 권력가라는 것이 아예 없어.

셋째, 모두가 똑같이 자신을 내놓았으니 어떻게 보면 누구도 자신을 내놓지 않은 거나 마찬가지가 되는 거야.

잃는 것은 없고 오히려 남는 장사인 셈.

왜냐하면 공동의 힘으로 자신을 더 효과적으로 보호할 수 있으니까 말이야.

그럼 인류 최초의 사회계약은 언제, 어떻게 이루어졌을까?

과연 그런 일이 있기는 했을까?

루소 말로는 그랬다는데?

그럼 일단 다 함께 원시 시대로 돌아가 보자!

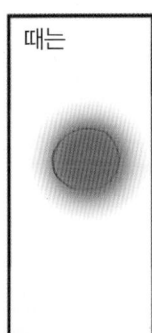

때는

그냥 원시 시대. 정확한 날짜는 몰라. 달력도 시계도 없으니까.

장소는 그냥 지구 위의 어디쯤.

GPS 네비게이션도, 지도도, 나침반도 없으니까.

인류의 조상들이 거의 속옷만 걸친 모습으로 여기저기 돌아다녀.

사냥하는 사람도 있고, 물고기를 잡는 이도 있고

나무 열매를 따먹는 사람도 보이네.

어떤 이는 나무 그늘 아래서 뭔가를 열심히 만들고 있어. 무기를 만드나?

어… 방금 사람 하나가 피를 흘리면서 돌아왔어.

저런, 많이 다쳤는지 몹시 고통스러운 표정을 짓고 있는데.

으~

들짐승에게 공격을 당한 모양이야. 빨리 치료를 해야 할 텐데.

자~ 시간은 흘러 저녁.

사람들이 심각한 얼굴로 어슬렁 어슬렁 모이기 시작해.

모닥불 앞에 모여 얘기를 나누는 것 같아.

간혹 고성이 오고 가기도 하고 서로 삿대질을 하기도 하네.

분위기가 좀 살벌하다.

이런, 저녁밥이 나오자 대화를 멈추더니 먹기 시작하는데? 맛있게도 먹네그려….

이제 쩝쩝거리는 소리가 잦아들고 트림 소리가 돌림 노래처럼 들려오네. 하하하!

분위기가 한결 화기애애해졌는걸.

웃음소리도 들리고 박수 소리도 들려.

드디어 뭔가 결정된 모양이야. '파이팅' 자세로 손을 모았다가 큰소리로 뭐라고 외치고 있어.

중요한 계약이 이루어진 듯해.

자, 우리는 방금 인류 역사상 가장 극적인 장면을 '재현' 해 보았어.

사회계약이라는 것이 최초로 체결되던 감동의 순간!!

이 영상물의 감독은 누구? 바로 나야.

레디~

그런데 말이야, 실제로 이런 일이 있었다는 증거는 없어.

그러나 루소는 인간이 어느 시점에선가 이런 합의를 했었다고 봐.

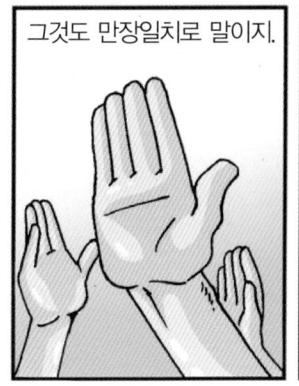

그것도 만장일치로 말이지.

이건 다른 계약과 달라서 각자 자신을 모두 내걸고

받아 주세요!

공동체를 꾸리자는 건데

공동체

반대하는 사람이 하나라도 있으면 이루어질 수 없는 거야.

난 관심없어. 잠이나 잘란다.

모든 사람이 자신만을 위해 살지 않고

사회가 요구하는 의무를 다하겠다고 똑같이 약속해야만 가능한 일이지.

이제 각 개인과 사회에는 어떤 변화가 올까?

계약 전과 계약 후로 나누어

살펴보도록 하자.

먼저 계약 전의 상태에서 인간은 좋게 말하면 자연인이고 나쁘게 말하면 야만인이야.

오로지 본능에만 충실해서

자고 싶은 대로 자고 싸고 싶은 대로 싸지.

왜? 이러면 안 돼?

왜 내가 식은땀이 나는 거지? 사실 이게 나의 본모습이라서 그런가?

하여튼 자연인은 자연이 베푸는 혜택 속에서 남 생각 안 하고

그저 자기 하나만 잘 먹고 잘살면 그만이었어.

그러다가 계약 후에

인간은 사회인이자 문명인이 되지.

인간은 생각하는 갈대!

행동을 할 때도 일정한 기준에 따르게 돼.

아직도 그렇게 살고 있냐?

?

본능에만 충실한 게 아니라 정의니 의무니 권리 같은 고차원적인 것들을 따지게 되지.

정의 / 의미·권리 / 그냥 돌

주변과 타인의 상황을 고려할 줄도 알게 되면서 도덕성이라는 것이 발달하게 돼.

도둑질 하지 않기!

약속 잘 지키기!

….

살인하지 않기!

물론 계약 전에 누렸던 자연의 이득 중 일부를 포기했지만

새로 얻은 것도 많아.

또한 사회 속에서 분업을 함으로써 개인들의 능력은 눈부시게 빨리 개발되었지.

이게 농사라는 거구나.

루소에 따르면 지성이 고개를 들면

감정이 고상해지고 영혼이 고양되어 절로 행복감을 느끼게 된대.

힘은 들지만 일을 하니까

행복하네.

아….

한마디로 미꾸라지가 용 되고 심봉사가 눈 뜬 격이지!

보인다!

지금까지 계약으로 인한 구성원들이 겪는 변화를 살펴봤으니

이제는 계약의 결과로 만들어진 공동체를 살펴볼 차례야.

이런 공동체는 대부분 국가라고 보면 돼.

물론 다른 형태의 공동체도 있을 수 있어.

공동체는 마치 사람처럼 자신의 생명과 의지와 인격을 지니고 있어.

구성원들로 이루어졌지만 구성원 개개인을 넘어 하나의 인격체인 거지.

루소는 이를 주권자라고 부르는데 의미상으로는 권력과 비슷해.

주권자는 구성원들의 이익에 어긋나는 일은 하지 않아.

한마디로 주권자는 착해!

공동체의 구성원은 국민 또는 시민이라 불러. 국가의 법률에 종속된다는 의미로는 신민이라고도 해.

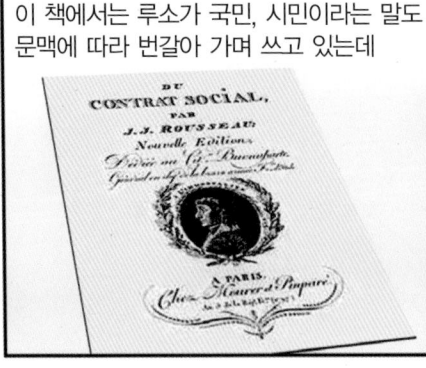

이 책에서는 루소가 국민, 시민이라는 말도 문맥에 따라 번갈아 가며 쓰고 있는데

일단…

이라는 말로 통일하자고.

그런데 계약을 맺기 전에 중요한 약속이 하나 이루어져야 합니다.

그게 뭐냐하면

일단 계약을 맺게 되면 자기 의사만 내세우지 않고 일반 의지에 따르겠다는 약속이야.

우린 농구 할 건데.

안 돼 축구하자!

사실 계약만 맺는다고 공동체로서 완성되는 건 아니잖아?

공동체를 지키기 위해 서로 같이 노력을 해야 하는 거지.

구성원은 저마다 개인 의사를 갖기 마련인데 그게 공동의 의사와 다를 수도 있지.

어떤 이는 공동 이익에 대한 의무를 가볍게 생각할 수도 있어.

나만 잘살면 그만이지.

그런 이들은 구성원의 의무는 다 하지 않고 권리만 찾을 수도 있어.

나도 이 사회의 일원. 나에게도 권리를….

그렇게 된다면 그 공동체는 어떻게 될까? 문 닫게 되겠지!

공동체

폐업

따라서 공동체의 해체를 막기 위해서는 구성원 모두가 일반 의지를 따르겠다는 약속을 해야 해.

선서

이 약속이 있어야만 다른 약속들도 의미가 있게 되지.

일반 의지를 잘 지키겠다는 약속을 하자면 구성원들 하나 하나가 정말 심사숙고해야 하겠지?

저마다 입장이 다르고 이해관계가 다르니까 말이야.

때로는 자신의 이익을 희생해야 하는 사태를 맞을 수도 있을 거야.

그러나 이 약속을 통해 보호받는 이익이 더 클 것이므로 결국 약속이 이루어지게 되겠지.

물론 괜한 짓을 했노라고 후회할 사람도 있겠지만.

이제 일반 의지에 따르겠다고 약속하고

사회계약을 맺음으로써

공동체가 이루어진다는 것까지 이해했지?

그럼 공동체를 통해서는 어떻게 자유를 누리고

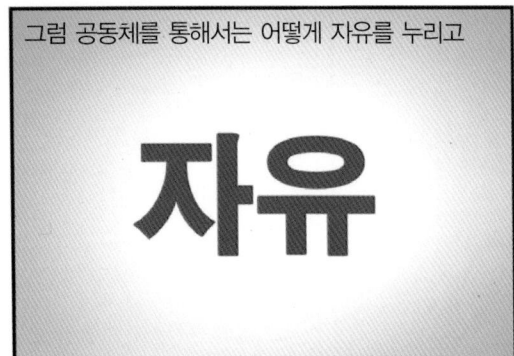

어떻게 재산이 보호되는지 알아보도록 하자!

우선 자유에 대해서 알아보자!

인간은 사회계약을 맺음으로써

계약서

원초적 자유는 잃지만 시민의 자유를 얻어.

자유 자유 자유 자유 자유 자유 자유 자유

그리고 자신을 자신의 주인으로 만들어 주는 정신적 자유를 누리는 것도 빼놓을 수 없지!

정신적 자유

스스로 만든 법을 지키는 것은

생활계획표

자유인의 몫이기 때문이야.

열공

그렇지만 루소가 살던 당시의 보통 사람들은

전혀 자유롭지도 평등하지도 못했어.

항상 주인과 노예, 왕과 백성, 귀족과 평민,

지배층과 피지배층으로 나뉘었지.

그런데 사실 인류 역사가 시작된 이래 진정한 자유와 평등은 아직 한 번도 실현된 적이 없을 거야.

루소는 인간은 누구나 자기 자신의 주인이라고 부르짖은 거야

여러분들의 주인은 바로 자기 자신! 잊지 맙시다!

이제는 사회계약을 통해 재산을 어떻게 보호받는지 알아보자.

사회계약을 맺으면 마음 내키는 대로 아무것이나 가질 수 없어.

와~

내가 갖고 싶어 하던 장난감이네.

그 대신, 자기 재산에 법률적인 권리를 얻게 되지.

개인은 일단 공동체에 자기 소유물을 내놓는데

난 빵을…

난 이 땅을…

그렇다고 그것이 주권자의 재산이 되는 것은 아니야.

공동체는 개인의 소유권을 보장해 주고

파닥 파닥

모든 구성원은 이런 권리를 서로서로 존중해 줘.

많이 잡았구나.

다른 나라에 대해서도 국가가 개인의 소유권을 지켜 주지.

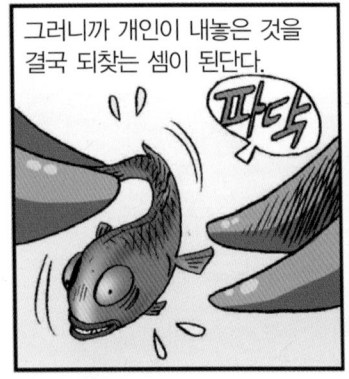

그러니까 개인이 내놓은 것을 결국 되찾는 셈이 된단다.

파닥

이렇게 해서 구성원들의 재산은 주권의 강력한 보호를 받게 되는 거고

주권은 더욱 큰 힘을 발휘하게 된단다.

力

개인이 갖고 있는 땅을 전부 합치면

그 나라의 영토가 돼.

주권자의 권리는 영토에도 미치게 되지.

그러나 루소는 개인이 땅에 대해 갖는 권리보다는 주권자가 땅에 대해 갖는 권리가 우선되어야, 한다고 봤어.

그럴지 않다면 사회적 유대는 금방 흐트러질 거야.

예전의 군주들은 이런 면에 대해서는 미처 생각하지 못했는지 국토를 지배하기보다는

국민을 지배할 것을 생각했어.

그러나 루소가 살던 시대의 군주들은 영악해서인지

국토를 장악함으로써 국민을 지배했지.

결론을 말하자면 인간은 타고난 체력이나 재능이 저마다 달라서 불평등하지만

사회계약에 의해 평등하게 된다는 거야.

사회계약

프랑스 대혁명

혁명의 도화선

프랑스 대혁명이 일어난 배경에는 프랑스의 왕정의 실정이 있었다. 프랑스 왕정은 루이 14세가 세운 절대주의 체제에서 국민의 삶을 무시하고, 일부 귀족과 성직자들로 이루어진 특권층의 배를 살찌우는 정치를 하며 국민 위에 군림할 뿐이었다. 특히 루이 16세의 정부는 미국의 독립 전쟁을 지원한 탓에 심각한 재정 궁핍 상태에 있었다. 프랑스 국민들은 위기의식을 느꼈고 불만이 날로 팽배해졌다.

그러던 1789년 루이 16세는 1302년에 필리프 4세가 처음 열었던 삼부회를 다시 소집한다. 삼부회는 성직자, 귀족, 평민의 세 신분이 모여서 국가의 중요한 문제를 결정하는 회의였는데 평민은 명목상의 참여자였을 뿐 실상은 귀족과 성직자들의 의견이 관철되는 회의였다. 루이 16세는 바닥난 국고를 세금으로 메우려고 삼부회를 소집했던 것인데, 평민 대표가 투표 방식을 걸고 넘어지자 삼부회를 해산하고 만다. 이에 평민들은 따로 '국민 의회'를 구성했지만 루이 16세는 이를 인정하지 않고 군대를 불러들여 파리 시민들을 공포에 몰아넣었다. 파리 시민의 불만은 1789년 7월 14일 정치범을 수용하는 바스티유 감옥을 습격하는 것으로 폭발했으며,

1789년 7월 14일, 파리 시민들은 총으로 무장한 채 바스티유 감옥을 습격한다.

이 사건은 지방으로 전해져 전국 각지에서 농민 반란이 일어났다.

자유와 평등의 공표 〈인권 선언〉

사태를 우려한 헌법제정의회는 1789년 8월 4일 봉건적 신분제와 영주제를 폐지했고, 이로써 프랑스 국민들은 법 앞에서 평등한 조건을 가진 신분을 얻게 되었다. 국민 의회는 8월 26일 〈인권 선언〉을 만들어 인간의 자유와 평등, 국민 주권, 사상의 자유, 과세의 평등 등 새로운 질서를 보장하는 원칙을 발표했다. 이 인권 선언은 완전하지는 않았으나 근대 민주주의의 토대가 되는 기념비적인 선언이었다. 그러는 동안에 파리의 식량 사정은 급속히 악화되었다. 1789년 10월 5일 더 이상 참을 수 없었던 시민들은 빵을 달라고 외치며 베르사유 대행진을 감행했다. 시민들은 루이 16세 일가를 파리로 압송해 왔다.

혁명의 막을 내린 쿠데타

혁명의 불길이 번지는 것을 두려워한 오스트리아와 프로이센이 프랑스 대혁명 지지 세력에게 압박을 가하자, 프랑스는 선전 포고를 하고 전쟁을 벌였다. 그 후 혁명 세력은 공화정을 선포하고, 외세와 결탁한 혐의를 지닌 루이 16세를 단두대에서 처형하기에 이르렀다. 그 후 로베스피에르가 주도하는 자코뱅파가 정권을 잡고 혁명 정부를 수립하였는데, 혼란한 국내외의 상황을 장악하기 위해 수많은 사람들을 단두대에서 처형하는 공포 정치를 실시했다. 하지만 로베스피에르는 반대 세력에 의해 1794년 7월에 숙청을 당했고, 그 후 정치는 '총재 정부'가 담당했다. 그러나 계속된 정치적 혼란에 염증을 느낀 국민들은 안정을 원했고, 당시 국민적인 영웅이 된 나폴레옹 보나파르트가 쿠데타를 일으킴으로써 총재 정부는 막을 내렸다. 이로써 프랑스 대혁명은 일단 막을 내렸으나, 프랑스 대혁명의 정신이 추구하는 자유와 평등, 박애의 정신은 오늘날 프랑스의 정신이 되었고, 전 세계 민주 사회가 추구하는 공동의 목표가 되었다.

제5장 내 안의 일반 의지를 발견하라

이제부터는 가장 중요한 개념인 일반 의지와 주권에 대하여 깊이 살펴보도록 하자.

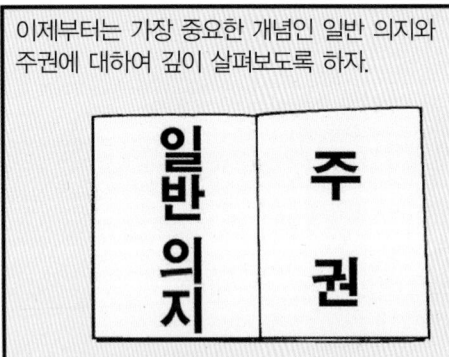

일반 의지는 책에 따라 '전체 의사'로 표현되기도 하는데 학계에선 일반 의지로 통일해서 쓰고 있어.

일반 의지로 통일!

의미는 앞에서 말한 것처럼 공동의 의지야.

그렇지만 단순히 모든 사람들이 갖고 있는 생각을 모아 놓은 게 아니야.

모든 사람이 동의했더라도 공익을 위한 게 아니면 일반 의지라 볼 수 없어.

일반 의지

생소한 말이지? 처음 들어 본다고?

게다가 눈에 보이지도 않고 손으로 잡을 수도 없으니

고기를 잡으러··

잡아라!

쿵 쿵 쿵··

아리송할걸?

내가 뭘 하고 있던 거지?

사실 루소가 일반 의지에 대하여 충분히 설명을 해 놓지 않아서 학자들마다 다르게 해석하는 바람에 논란이 분분하단다.

난 조금 다르게 생각합니다.

오~ 그런가요? 그럼 박사님의 생각은 어떤가요?

음….

보통 사람들이 보기에도 애매모호한 구석이 있는 게 사실이야.

헉! 이건 어떤 동물의 알일까?

게다가 루소는 공동체 구성원 모두를 위한 의지가 일반 의지라고 했는데

일반 의지

모두를 위한 것이라는 게 과연 세상에 있을까?

공룡 알 발견!

어떤 조직이든 구성원들은 서로 생각하는 바가 다르고

박사님 이건 타조 알인데요.

이해관계도 다르니까.

배고픈데 프라이 해 먹자!

어미에게 돌려주죠….

그렇지만 공동의 이익은 분명히 존재해.

알을 어미에게 돌려주므로 자연이 보호되고

자연은 인간에게 이익을 돌려주므로 어찌 보면 이것도 공동의 이익일 수도 있는 거죠.

사회적 유대라는 것은 이 공통 부분에서 생겨나는 거지.

사회적 유대

일반 의지라는 개념이 워낙 추상적이다 보니 가슴에 팍 와 닿지는 않겠지만

도대체 뭘 그린 걸까?

자유나 평등, 평화 같은 것처럼

우리 모두에게 소중한 가치라는 것쯤은 알 수 있을 거야.

아침의 맑은 공기처럼 말이야.

아 참… 일반 의지는 확정 불변의 것이 아니라 그때 그때 달라질 수 있는 거란다.

나처럼 그때 그때 달라.

국가가 정치적 혼란에 빠져 있을 때 일반 의지는 '정치적 안정'이 되겠지만

독재 정권 물러가라!

대통령 탄핵

경제적 위기의 상황이라면 '경제 부흥'이 되는 거지.

IMF

여기서 질문 하나!

너희 가족의 일반 의지는 뭘까?

재원이네집

가족 모두에게 이로워야 하고 가족 모두가 공감해야겠지. 터놓고 이야기를 나누다 보면 찾을 수 있을 거야.

온 가족이 모인 자리에서 우리 가족의 일반 의지에 대해 한번 토론해 보자고 해 보렴.

너희가 일반 의지라는 유식한 용어를 구사하는 것을 보고 부모님이 깜짝 놀라실걸? 하하하.

헉!

그럼 좀 더 큰 조직인 국가에서는 어떨까?

개인의 의지들은 과연 얼마나 일반 의지와 일치할까?

루소에 따르면 혹시 일치한다 하더라도 영원히 그럴 수는 없대.

왜냐하면 일반 의지는 본질적으로 공익과 평등을 지향하지만

개인 의지는 단연코 개인이 중심이거든.

그럼 일반 의지는 누구에 의해서 어떻게 결정되는 것일까?

정말 뻔뻔스러워.

내 생각엔 일반 의지를 발견하기 위해서는 철저하게 혼자 고민하는 것이 바람직한 것 같아!

괜히 여럿이 모여서 떠들다 보면 오히려 혼란이 올 수 있으니까.

이쪽으로!

저쪽으로 가야 해!

아냐 이쪽이야!

자신의 이익만을 생각해서도 안 되고

무엇이 공동체에 가장 이로운 선택인지 홀로 사색에 잠길 때 가장 좋은 결과를 낳을 수 있어.

옷이라도 입고 올걸.

왜냐하면 일반 의지란 건 우리 마음속 어딘가에 틀림없이 존재하는 것이기 때문이지.

그럼 그렇게 발견한 일반 의지는 언제나 옳은 것일까?

그걸 누가 보장할 수 있냐고?

일반 의지

하하하…
모처럼 똑똑한 질문이
하나 나왔군.

루소에 따르면 일반 의지는 언제나 공명정대하고 공익의 경향을 따라.

같이 놀자!

공익

그런데 국민의 결정이 항상 공정하거나 공익에 부합하지는 않잖아.

그래 결정했어!

무엇이 일반 의지인지 모호한 상황도 있고 말이야.

반 의지 일반 일반 의지

사실 너희들도 무엇을 어떻게 해야 할지 혼란스러울 때가 있고

내일이 시험인데 어떤 걸 공부해야 할지 모르겠네.

의지와 행동이 따로 놀 때도 있으니까.

아~ 공부해야 하는데 너무 졸려….

그래서인지 루소도 일반 의지가 꼭 만장일치여야 할 필요는 없다고 했어.

개개인의 의사 역시 소중하고 중요하기 때문이죠.

국민 투표를 통해 만장일치로 결정되었다고 해도 그것이 반드시 옳은 건 아니라고 봤지.

투

루소는 국민의 결정에 대해 불안해하는 마음이 있었어.

국민은 이익을 추구하지만 막상 무엇이 이익이 되고 무엇이 해가 되는지를 분간 못할 때가 있다고 봤지.

국민은 가끔 단체로 꾐에 속아 넘어가기도 해서 해로운 결과를 자초하기도 하는데

루소가 보기에 일반 의지를 흐리는 대표적인 것이 바로 파벌이었어.

루소는 나라 안에 파벌이 생기면 일반 의지는 사라지게 된다고 봤어.

파벌의 의사는 구성원들로서는 일반 의지지만 국가 차원에서 보면 일부의 의사에 불과해.

게다가 조직을 이루고 있으니 개인보다 영향력이 훨씬 크지.

만약 어느 한 파벌이 성장하여 나라 전체를 주도하게 되면 일반 의지는 더 이상 존재하지 않게 돼.

그러니 일반 의지가 바르게 표명되려면 나라 안에 파벌이 없어야 하지.

마키아벨리도 루소와 생각이 같아서

루소 선생 안녕하시오?

예… 반갑습니다.

대립하는 자들이 당으로 뭉치지 않도록 하라고 통치자들에게 충고했단다.

소곤…

소곤…

음…

모임이 어떻게 이루어지는지 잘 살펴보셔야 합니다!

그러고 보면 통치자들은 파벌 때문에 적잖이 골치가 아팠던 모양이야.

감시하느라 잠을 못 자서 죽을 맛이구나.

루소는 어차피 파벌이 존재하는 경우에는 아예 더욱 많이 생기도록 하라고 했어.

너는 이쪽에 새로운 파를 만들어라!

서로 감시하고 견제하게 만들라는 거지.

헤헤…

너희들은 파벌이 뭔지, 파벌의 영향력이 어떤 건지 아직 모를 거야.

쪼아~

쪼아~

좋아당

그렇지만 학교나 학원에서도 뜻이 맞는 친구들끼리 몰려다니곤 하잖아. 그것도 파벌이랄 수 있지. 사람들은 끼리끼리 뭉치는 습성이 있거든.

우린 축구 하러 가자!

우리는 농구 하고 놀자!

게다가 민주 국가에는 집회와 결사의 자유가 있어서 자유롭게 조직을 만들 수 있어.

그럼 우리 조직도 합법인 거잖아.

범죄 조직은 말고!

우리나라도 헌법 제21조 1항에 '모든 국민은 언론, 출판의 자유와 집회, 결사의 자유를 가진다.' 라고 명시하고 있어.

오~ 훌륭한 법이군!

대한민국 헌법

우리나라는 또한 두 개 이상의 정당을 두는 복수 정당제를 채택하고

이를 헌법으로 보장해.

그리고 정치를 정당인들만 하는 게 아니라

예전엔 특권층만 정치를 할 수 있었는데 요즘은 너나 없이 하는군.

국민 모두가 참정권을 지니고 있고

크고 작은 선거를 통해 정치 의사를 표현하지.

누구를 찍을 거야?

제3투표소

비밀.

정치에 무관심한 것을 자랑으로 여기는 이들도 있지만

촌스럽게 투표를 왜 해!

우리는 정치를 벗어나서는 하루도 살 수 없단다.

공기와 물이 없으면 못 사는 것처럼 말이지!

아울러 민주 국가이자 자본주의 국가인 우리나라에는 이미 수많은 이익 집단들이 생겨나서 저마다 자기 단체의 이익을 위해 애쓰고 있지.

한국부인회 대한상공 대한변호사 협회

이익 집단의 활동은 남에게 해를 끼치지 않는 범위 내에서는 사회적으로 용인되고 있어

일반 시민이 불편하지 않도록

자중하며 우리의 의견을 관철시킵시다!

물론 이익 집단들끼리 서로 이해관계로 부딪치는 경우에는

우리가 먼저야!

중재자가 나서기도 해.

자자… 싸우지 마시고 서로 조금씩만 양보하세요.

중재자

이익 집단들의 맹렬한 활동에 대하여 한 가지 실례를 들어 주지.

지난 몇 년간 우리나라 의료계는 이해관계에 따른 갈등이 컸단다.

물러서지 않겠다!

우리 역시!

대한의사회

약사회

의약 분업을 앞두고 의사와 약사 간에 분쟁이 생겨, 온 나라가 어수선했지.

의약 분업 반대!

약대 6년이 웬말이냐!

이때 의사들의 파업으로

의약 분업 반대한다!

죄 없는 환자들만 엄청 고생했어.

다들 우리에겐 관심이 없구나.

의사와 약사는 약대 6년제 계획을 두고 심각하게 대립했고

약대 6년제는 세계적인 흐름이다!

흐르는 물을 막을 수는 없다!

한의사와 양의사는 진료 영역을 둘러싸고 싸움을 벌였으며

양의사가 한방 의학까지 넘보다니…….

CT 촬영을 중단하시오!

약사와 한의사는 한약 조제권을 두고 팽팽히 맞섰지.

누가 감히!

뭐가 어째!

국민들의 생명과 직결된 문제니 사회적 파급 효과가 엄청났지.

우리 국민이 봉이냐?!

믿을 사람이 아무도 없구나.

의료계를 예로 들었을 뿐 사실 다른 분야도 마찬가지야.

우리의 요구를 들어 주시오!

한국노총

전경련

절대 들어줄 수 없소!

세상에는 이익 집단만 있는 게 아니란다. 이익 집단들과는 태생이 다른 공익 단체들이 점점 늘어나고 있고

활동 반경을 점점 넓혀가고 있어.

세제 사용을 줄입시다.

물론 그렇다고 해서 공익 단체들의 의지를 우리나라의 일반 의지와 동일시할 수는 없어!

결국 이익 집단이든 공익 단체든 또는 개인이든

모두 국가를 구성하는 구성원들이고

국가는 구성원의 연결 속에서만 생명을 유지하고 있어.

반면에 국가는 국민을 지배하는 절대적인 권력을 갖고 있어.

마치 사람이 자기 몸을 자유자재로 움직일 수 있듯이 말이야.

물론 국가의 권력은 사회계약의 범위 안에서 행사되는 거지.

국가에 봉사하고 국가를 위해 목숨을 버린다는 각오로 살아야 한다!

이 권력은 주권이라고 불려.

주권은 국가의 의사를 최종적으로 결정하는 최고의 권력이야.

우리나라의 헌법 제1장 제1조의 2항에 보면 이런 내용이 있어.

'대한민국의 주권은 국민에게 있고 모든 권력은 국민으로부터 나온다.'

즉 대한민국의 최고 권력인 주권은 대통령에게 있는 게 아니라 국민에게 있다는 거지.

여러분을 위한 정치를 하겠습니다!

이제부터는 루소의 주권론을 본격적으로 들여다보자.

주권론

루소에 따르면 주권은 절대적이고 신성 불가침한 것으로서 일반 의지의 지휘를 받아.

주권

주권은 결코 남에게 줄 수 있는 게 아니란다.

일반 의지를 남에게 줄 수 없는 것과 마찬가지야.

네게 내 전부를 주고 싶지만 의지는 줄 수가 없네.

흥!

의지라는 것은 주고받을 수 있는 성질의 것이 아니거든.

의 지

물론 주권은 나눌 수도 없지.

주 권

그러나 주권자가 아무리 중요해도 개개인들이 무시되어서는 안 돼.

국민이 주권자의 눈치를 보는 일이 있어서도 안 되고.

국민은 자기 재산을 맘대로 팔 수도 있고, 반대로 뭔가를 살 수도 있어.

병아리 한 마리 주세요.

물론 사회계약의 범위 안에서지만.

사회계약

그렇지만 루소에 따르면 주권자가 국가에 대한 봉사를 요구하면

국가를 위해 국방의 의무를 다할 것을 명한다!

국민은 의무를 다해야 한대.

충성

만약 주권자가 국민에게 희한한 요구나

국가를 위해 소변을 참읍시다!

물을 먹지 말고 땀으로 뽑읍시다!

무리한 요구를 해 올 수도 있지만

아예 변기를 치웁시다!

그런 걱정은 풍선에 띄워 멀리 날려 버리래.

아유~ 국민들도 참. 농담이에요, 농담.

왜냐하면 주권자는 선하고 합리적이어서

국민의 행복은 곧 나의 행복!

국민에게 쓸데없는 일을 요구하지는 않는다는 거야.

절대로 국민이 힘들어 할 일은 부탁하지 않습니다.

주권자는 그런 생각을 할 수 없대.

어떻게 하면 국민이 좀 더 행복할 수 있을까?

쓸데없는 일을 대체 왜 하겠냐는 거야.

멀뚱

생각이 많으니 잠이 안 온다.

멀뚱

문자 그대로 쓸 데가 없는데!

주권자는 단체로서 국민을 인정하고 존중해.

국가의 주인은 국민입니다!

국민 개개인에 전혀 차별을 두지 않음은 물론이고

모두가 평등한 사회를 건설합시다!

국민 개개인의 목숨까지도 보호해 주고 있어.

국민의 안녕을 위해 노력해 주시오.

충성!

그런데 루소는 개인이 사회계약을 맺음으로써 국가에 목숨까지도 내놓은 셈이니까

만약 나라의 부름을 받아 전쟁에 나간다면

애애앵~

이는 국가로부터 받은 것을 되돌려 주는 행위라고 주장하고 있어.

공격하라!

사회계약을 맺기 전 같으면 광활한 자연에서 목숨을 걸어야 할 일이 훨씬 더 많았을 것이므로

뿌우

사람 살려!

국민은 조국을 위해 기꺼이 싸워야 한다고 했지.

받아라!

사실 루소의 이런 주장은 논란의 여지가 많아.

택도 없는 소리요!

맞소!

하지만 긍정적으로 풀이한다면 여러 사례를 들 순 있지.

이구.. 나무만 보고 숲을 보지 못하는구나.

쯧쯧!

우리 역사에도 외적의 침입으로 국가에 위기가 닥쳤을 때 온 국민이 힘을 모아 외적을 물리친 경우가 많잖아.

루소는 개인은 국가라는 울타리 안에서

자기 자신을 위해 싸울 일은 없다고 했어.

사람 살려~

국가가 우리의 안전을 보살펴 주니까 말이야.

고맙소!

국가가 없었다면 우리는 진작 더 큰 위험에 빠졌을 수도 있으므로

국민이 국가를 위해 위험을 감수할 때가 있다 해도

결국은 사회계약을 통해 이익을 본다는 거지.

살았다!

루소는 사형 제도도 이 같은 관점에서 풀이하고 있어.

법을 어긴 죄인들은 국가에 대한 배신자라고 봤어.

배신자!

왜냐하면 법은 곧 일반 의지의 표현인데

법을 어기는 행위는 공동체에 대한 반역이라는 거지.

그래서 죄인은 국가 구성원으로서의 자격도 함께 잃게 돼.

자격 정지

이렇게 되면 국가와 배신자는 사이좋게 공존할 수 없으므로

둘 중 하나가 없어져야 해.

그러니 죄인을 추방하거나

아니면 공공의 적으로 규정해서 사형에 처하는 거지.

따라서 죄인에 대한 사형 판결은

탕

그가 사회계약을 깨뜨렸으며

더 이상 국가의 구성원이 아니라는 선언과도 같아.

만약 죄인에 대한 처벌이 자주 행해진다면

오늘도 대광장에서 사형식이 있다는군.

아니, 무슨 사형을 밥 먹듯이 하는 거야?

정부가 미약하거나 태만하다는 징조라는군.

쉬엄쉬엄 놀면서 일하자!

그리고 아무리 악한 사람이라도 어딘가에는 쓸모가 있기 마련이니까

붙이 들잖아! 잘 막아.

아… 네….

사형에 처하는 것은 신중해야 한댔어.

치즈~

저렇게 나쁜 놈을 풀어 줘야 하나?

사회에 놔두어서는 안 될 정도의 위험 인물이라고 확인된 경우에만

하지만 놓아주면 또 살인을 할 텐데.

사형이 이루어져야 한대.

죄인을 사형에 처한다!

물론 형벌을 면해 주는 사면 제도라는 것도 있긴 하지만….

사면권은 주권자에게만 주어지는데 사면 행위가 잦으면

기분 좋은데 이번엔 누구를 사면해 줄까?

국가가 쇠망해지는 징조라는군.

아이고 허리야…

똑 똑

사실 통치가 제대로 이루어지고 있는 국가라면 죄인에 대한 형벌 자체가 매우 드물어.

범죄자가 없으니 파리만 날리는구나!

법을 어기는 사람이 별로 없기 때문이지.

우리 경찰도 할 일이 없기는 마찬가지네….

이렇듯 일반 의지를 어기는 행위는 사회계약을 맺은 구성원으로서는 해선 안 되는 일이야.

그만큼 구성원들은 일반 의지를 정책적으로 따라야 한다는 건데.

일반 의지

후학들이 루소를 비판하는 부분이

《사회계약론》을 말한다

바로 이 일반 의지에 무조건 복종해야 한다는 주장이야.

루소가 말하는 사회계약은 국민의 발을 묶는 또 다른 악법인 거죠!

다른 사람의 노예가 되지 않고

자유롭고자 사회계약을 맺었는데 이번엔 일반 의지에,

또 그 다음엔 국가에 완전히 복종해야 한다니 이건 모순의 극치요!

언뜻 보면 개인의 이익보다는 국가의 이익이 더 강조되는 것처럼 보이지?

국가의 이익

개인의 이익

실제로 이런 주장이 전체주의 이념을 연상시키는 탓에 독재자들에게 악용되기도 했어. 이탈리아 파시즘, 독일 나치즘, 일본 군국주의 등.

하지만 그것이 루소의 잘못은 아니란다. 나쁜 의도를 갖고 있는 사람들 탓이지.

옳소!

일반 의지와 주권, 법의 관계

⟷ 사회계약 관계

일반 의지
공익을 위한 국민 전체의 의사

법
일반 의지의 표현

주권
국가의 의사를 결정하는 최고의 권력

법
일반 의지의 표현

국민
사회계약으로 맺은 관계

파시즘과 나치즘 그리고 군국주의

권력에 악용된 일반 의지론

루소가 살았던 18세기는 절대 왕정이 판을 치는 시대였다. 그래서 권력은 절대왕정과 귀족의 것이었고, 그 권력은 신이 준 것이었다. 루소는 이런 질서에 혁명적인 사상으로 반기를 들었다. 루소는 《사회계약론》에서 하늘 아래에서 맺어지는 모든 관계는 '사회계약'이라고 주장했다. 또 왕이나 귀족이 아니라 시민을 역사와 권력의 주체로 내세웠다.

그러나 그의 사상은 독재 권력을 탐하는 자들에게 악용당하는 오점을 남길 여지가 있었다. 루소는 사회계약에 의해 일반 의지를 구현하는 국가가 세워질 경우, 국민이 국가의 명령에 복종하는 것은 외적인 권력에 복종하는 것이 아니라 스스로에게 복종하는 것이라고 보았다. 사회계약은 국가에 무제한의 권력을 줄 수 있다는 것이었다. 파시즘, 나치즘, 군국주의로 대변되는 전체주의 독재 권력들은 이러한 점을 놓치지 않고 자신들의 정치적인 사상의 기반으로 도용했다. 따라서 루소의 일반 의지 이론은 국민의 절대 복종을 강요하는 독재 국가 이론으로 전도될 위험을 내포했다는 비판을 받게 된 것이다.

그래서 어떤 역사학자는 '루소는 자유에서 출발하지만 실제 절대군주라는 옛 독재자의 자리에 일반 의지라는 새로운 독재자를 앉혔고, 그것 앞에서는 개인의 어떤 요구도 정당성을 갖지 못한다.'라고 말했고, 실제

파시즘의 상징인 무솔리니(왼쪽)와 히틀러.

로 프랑스 대혁명 권력을 독점했던 로베스피에르는 일반 의지라는 명목으로 공포 정치를 주도했던 독재자의 모습을 보여 주었다는 점을 지적했다.

파시즘(Fascism) _ 1919년 이탈리아의 무솔리니가 주장한 정치 이론이다. 파시즘이란 이탈리아어인 파쇼(fascio)에서 나온 말로, 원래 이 말은 '묶음'이라는 의미를 가졌으나 단결로 해석된다. 파시즘은 정치와 경제의 불안을 빨리 해결하고 안정된 사회를 원했던 국민들의 욕구를 짧은 기간 내에 해결하기 위한 방법으로 모색되었으나, 결국에는 독재 권력의 상징이 되었다.

나치즘(Nazism) _ 히틀러가 만든 민족 사회주의 독일 노동자당(NSDAP 또는 나치당으로 불린다)의 정치 이념으로 1933년과 1945년 사이에 들어선 독재 정권(제3제국)의 통치 사상이기도 하다. 나치즘은 아리안 인종이 타 인종보다 우월하다고 주장하며 게르만인의 우월성과 강력한 중앙 집권적 국가를 지지하였으나, 히틀러에 의해 세계 대전을 일으키는 야욕을 갖게 하여 독일의 패망을 안겨다 주었다.

군국주의(Militarism) _ 강력한 군사력이 나라를 지키고 부강하게 만드는 최선의 방책이라고 여기는 주의다. 따라서 전쟁과 그 준비를 위한 정책이나 제도를 국민 생활에서 최상위에 둔다. 역사적으로는 보면 고대의 도시 국가인 스파르타와 제2차 세계 대전을 일으킨 일본을 들 수 있다. 군국주의는 결국에는 군사 독재 정치 체제로 흘러 국민을 불행으로 내모는 나쁜 정치 체제이다.

군국주의는 편협한 맹목적 민족주의가 얼마나 위험한지를 일깨워 준다.

제6장 입법의 길은 멀고도 험하여라

법으로부터 해방되는 날이 있다면 가장 하고 싶은 일이 뭐야?

남의 이목이 두려워서 참았던 일들이 있다면 대체 어떤 거야?

식당에 가서 돈 안 내고 실컷 먹기,

교통 신호 무시하고 건너기,

괴롭히는 친구 실컷 때려 주기 등이라고?

하하하, 법을 어긴다 해도 아직 귀여운 수준이군.

그래… 그럼, 그래야지.

법은 세상에 어떻게 등장하게 된 걸까?
루소의 논리를 따라가 보자.

만약 우리가 신이 직접 다스리는 나라에 산다면

그래서 신이 내려 주는 사랑과 정의가
이 세상에 흘러 넘친다면

정부도, 법도 필요 없을 거야.

그러나 신은 그렇게 한가하지 않지.

바쁘다
바빠!

물론 법 없이도 살 사람들은 따로 있어서

그들은 상벌이 있건 없건
정의롭게 살아.

그러나 다른 이들이
정의롭지 않게
행동한다면

선량한 사람들만 손해를
보는 거잖아.

그러니 정의로운 세상을 이루기 위해서는 권리와
의무를 강력하게 한 데 묶어 버리는

약속과 법률이 필요한 거야.

법

법은 별 게 아니야.

우리가 알고 있는 일반 의지를 글로 표현한 거지.

주권을 글로 써 놓은 것이기도 하고.

- 다른 사람 소유의 물건 이나 음식을 탐내지 않기
- 살인 하지 않기
- 누구나 어느 때고 사냥은 을 놓고 할 수 있기.

대통령도, 왕도, 국무총리도 모두 법 아래 있어.

그리고 법은 일반 의지의 행사인 만큼 국민 전체에 의해 성립되고

법이 적용되는 대상도 역시 국민 전체가 돼.

여기서 잠깐. 우리나라에도 물론 헌법이 있어!

대한민국헌법

우리나라의 자유 민주주의 헌법은 제1공화국의 헌법이라고 해.

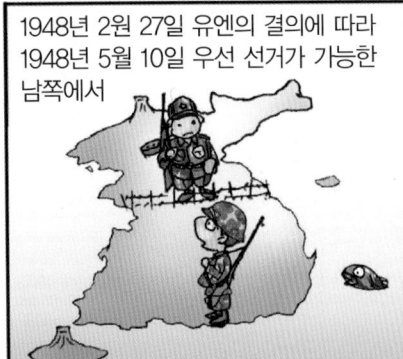

1948년 2월 27일 유엔의 결의에 따라 1948년 5월 10일 우선 선거가 가능한 남쪽에서

헌법 제정을 위한 제헌 의원이 선출되었고

1948년 7월 17일 대통령제와 단원 제3회를 주골자로 하는 자유 민주주의적 헌법이 제정, 공표되었단다.

국민의 어떤 의사가 일반 의지가 되기 위해서는 투표를 거쳐야 하는데

반드시 만장일치의 동의를 얻어야 하는 건 아니야.

투표 결과에 따라 국민의 일반 의지로 결정되면 그 의사는 법률이 되고

국민 일부의 의사로 결정 나면 법률에 못 미치는 명령 정도가 되는 거야.

여기서 잠깐! 법에도 위아래가 있다는 사실.

형님!

어~ 안녕….

루소가 명령이 법률에 못 미친다고 했는데 우리나라 법도 마찬가지야.

명령과 규칙은 법률보다 아래지.

법률은 헌법보다 아래에 있어. 말하자면 헌법이 가장 센 거야.

그래서 법률에는 헌법에 위반되는 내용이 있으면 안 된단다.

악! 눈부셔!

혹시라도 그런 비슷한 내용이 있으면 헌법 재판소에서 위헌 여부를 가려내지.

우리나라의 헌법 재판소는 1988년에 처음 설치됐고 서울시 종로구 재동에 있단다.

그럼 여기서 퀴즈를 하나 내겠어. 환상의 찍기 퀴즈~ 4지 선다형!

대통령이 독단적으로 내리는 명령은?

온 국민이 동참해 주십시오.

1. 그냥 명령이다.
2. 법이다.
3. 밥이다.
4. 아무것도 아니다.

너무 쉽지?

딩동댕~ 답은 1번!

춤을 춥니다. 실시!

하나! 둘!

법도 아니고, 밥도 아니고, 그냥 명령일 뿐이야.

그럼 2단계 퀴즈! 이건 조금 어려워. 국민 일부에게만 적용되는 명령은?

1. 그냥 명령이다.
2. 법이다.
3. 밥이다.
4. 아무것도 아니다.

쫌 헷갈려?

이번에도 답은 1번.

법도 아니고, 밥도 아니고, 그냥 명령일 뿐이야.

두 사람만 계속 춥니다. 실시!

대상이 국민 전체가 아니라면 주권자의 행위가 못 되고 행정 기관의 행위가 되는 거지.

헉 헉 헉

한 가지 더. 법률은 추상적인 행위에 대해서만 효력을 지닌단다.

무슨 얘기인가 하면 법률로 신분제 자체를 규정할 수는 있지만

신 분 제

누구 한 명을 지명해서 특정 계급에 속하도록 할 수는 없다는 거야.

너는 이제부터 백작이다! OK?

제가요?

그럼 이 중요한 법률은 누가 만들어야 할까?

법을 지키며 살아야 하는 국민이 일반 의지에 따라 스스로 법률을 만드는 게 맞긴 하지만

일하다 말고 어딜 가는겨?

우리가 직접 법을 만들어서

일하지 않아도 먹고살 수 있게 하자! ♬

같이 가….

현실적으로 일반 의지를 판별하는 일이 쉽지 않다는 게 문제야.

으~ 어떤 게 진짜일까?

국민이 과연 이 중대하고 어려운 작업을 할 수 있을까?

어렵다….

포기!

루소는 고개를 가로저었어. 국민에게 맡겨서는 안 된다고 생각했지.

쯧쯧….

루소에 따르면 일반 의지는 항상 옳은 것이야.

일반 의지

그러나 일반 의지를 이끌어 내기 위한 판단까지 항상 옳은 것은 아니지.

국민은 행복을 바라지만

행복을 주세요!

행복이 무엇인지 항상 알고 있는 것은 아니잖아.

행복 행복 행복

루소는 각 개인은 선을 알면서도 선을 행하지 않고

대중은 선을 찾지만 선을 알아보지 못한다고 봤어.

어떤 게 선이지?

선 악 선 선 선 악 악

그래서 개인과 대중을 모두 지도할 필요가 있다고 생각했어.

일반적인 행복이나 선을 찾으려면….

개인에게는 그들의 의지가 이성에 부합되도록 해 주고

대중에게는 그들이 원하는 게 무엇인지 가르쳐 줘야 한다고 했지.

일반 의지란 개인 개인이 가지고 있는….

그래야 비로소 전체는 최대의 역량을 발휘하게 된다고 생각했어.

짝 짝

말하자면 탁월한 지성인이 우매한 대중을 지도해야 하고

공부하고 깨어 있어야

진정한 지성인이….

대중이 어리석으니 입법자가 따로 필요하다고 생각했지.

똑똑한 소수가 전체를 이끌어 가야 한다고 믿는 루소의 이러한 사고방식은 엘리트주의라는 비판을 면하기 어려워.

무지한 민중들아, 선택된 우리를 믿고 따르라.

ELITE

그렇다고 루소가 엘리트 의식에 젖어 있었다고 단정 지을 수는 없어.

ELITE

어쨌든 루소의 결론은 법률의 제정을 국민에게 맡기기보다는

특별한 자질을 갖춘 몇몇에게 맡기자는 거야.

그래서 입법자는 아무나 될 수가 없어.

입법자가 되려면 재주도 비상해야 하고 기질도 뛰어나야 해! 왜냐하면 국가를 조직하는 아주 특별한 일을 맡고 있기 때문이지.

나라마다 입법자(입법 기관)는 조금씩 달라.

우리나라의 경우는 국회가 입법 기관이고

국회의원들이 몸소 법을 만든단다.

물론 우리나라의 입법자들도 보통 사람들이 아니라는 점은 알고 있겠지?

그러면 루소가 생각한 이상적인 입법자는 어떤 존재일까?

한마디로 말해서 생각하는 바가 일반 의지와 일치할 가능성이 큰 사람이야.

루소가 열거한 조건에 따르면

인간의 본성을 잘 알고 인간에 대한 애정을 지니며

사회를 위하는 따뜻한 마음이 있고 자기의 행복이 아닌 국민의 행복을 염원하고

미래를 내다볼 수 있는 지혜로운 사람이 바로 제격이야.

일반 의지가 현실에 직접 적용되는 법이야말로 그 사회 모두를 위한 것이어야 해.

각 개인은 사회 속에서 새롭게 태어남으로써 공동의 힘을 얻고

정신적인 존재로 거듭나게 되는 거야.

만약 입법이 완벽하다면 국가 전체의 새로운 힘이 본래 개인들이 지닌 힘의 합과 같거나 그 이상이 될 거야.

입법

이때 입법은 도달할 수 있는 최고의 지점에 도달하는 거야.

입법 작업은 꼭 필요한 것이지만 제대로 하기는 무척 어려운 일이야.

아무리 엄격하게 입법자를 뽑았다 하더라도

감사합니다.

감사합니다.

인간은 참으로 간사해 조금만 감시를 소홀히 하면

자기에게 이롭게 법을 바꾸려고 해! 그래서 루소는 한 방법을 제시해.

우리 봉급을 올리는 법을 만들자.

바로 법을 만드는 사람에게 권력을 주지 않는 것이지.

입법권

권력

그래야만 자기 이익을 생각하지 않고 공정한 법을 만들어 낼 수 있으니까.

법

법

입법자가 사리사욕을 채우려고 하면 그건 입법자로서의 자격이 없다는 걸 의미해!

그리스의 도시 국가 중 스파르타의 기초를 세운 이가 리쿠르고스인데

그는 국가를 위해 여러 가지 혁혁한 업적을 남겼어.

특히 인상적인 것은 아예 왕위를 포기하고 법률을 제정했다는 거야.

그런 만큼 사심 없이, 제대로 했겠지?

그리고 그는 자기가 만든 법을 함부로 고치지 않고

그대로 지키며 살겠다는 서약을 시민들로부터 받아 놓고 죽었어.

실제로 스파르타는 리쿠르고스의 법률을 500년 동안 계속 유지했단다.

또한 스파르타 말고도 그리스의 도시들 대부분이

법률 제정을 외국인에게 의뢰하곤 했어. 뿐만 아니라 근대 이탈리아의 여러 공화국들과 주네브 공화국도 같은 방법을 택했지.

이 모두가 입법자의 욕심을 경계하기 위한 거야.

입법자가 또한 유의할 점이 있는데 대중은 좀 어리석은 편이어서 눈앞에 이익이 되는 것만 받아들이니

날 찍어 주면 돈 많이 벌게 해 주지롱….

정말?

법률을 제정할 때 이 점도 고려해야 한다는 거야.

난 자동차.

그래. 실컷 탈 거야.

루소에 의하면 초창기 통치자들은

국민이 고분고분 법률을 잘 지키도록 하려고 외부의 권위에 의존했어.

종교의 힘! 신의 힘을 빌려 국민들을 이끌어 갔지.

국민은 인간을 창조한 신의 권능에 항복해서

나라의 명령에 유순하게 따랐고.

충성

그러나 이런 방법이 쉽게 통하지는 않아.

나, 일 안 해!

아무리 신의 대변자라고 해도

세금을 더 올려 받으라는 신의 계시가….

사람들이 믿어 주지 않으면

또 거짓말한다.

이젠 안 속아!

무슨 소용이 있겠어?

아~ 말발이 안 서는구먼!

드물게 종교의 힘으로

정치적 목적까지 성공적으로 달성한 경우가 있긴 했어.

루소는 유대인의 계율과 마호메트의 법전을 성공 사례로 꼽고 있어.

BIBLE

그것을 만든 사람들의 예지와 위대함이 뒷받침되지 않았다면 불가능했을 거야.

MESSENGERS

그렇다고 해서 정치와 종교가 공동의 목적을 가진다고 생각해선 안 되고

종교

정치

다만 국가가 생겨날 때

국가

하나가 다른 것의 도구로 쓰인다는 거야. 아주 예리한 지적이지.

그럼 법이 목적하는 바는 대체 뭘까?

헥
헥
왕
FINISH

루소가 생각하는 법의 목적은 바로 구성원들의 행복이야.

그럼 어떻게 해야 행복해질까?

지갑이 두둑할 때 행복하다고?

먹을 것만 있으면…

행복해.

돈이 최고지.

잘생기고 몸매가 좋아서 거울을 볼 때마다 행복하다고?

지난번 시험 성적이 올랐을 때 행복했다고?

드디어
꼴찌 탈출!

부럽다, 부러워. 어느 것 하나 쉽게
얻을 수 없는 것이네.

엄마!
나 꼴찌 탈출했어.
약속한 게임기
사 주세요.

그런데 말이야. 여기서 루소가
말하는 행복은

좀 다른 차원의 것인 것 같아.

아옹
다옹
옥신
각신

루소는 개인의 행복, 불행은 자유와
평등에 달려 있다고 하는데

행복,
불행,

낑

낑

자유는 앞에서 여러 번 말했으니
생략하고

자유

평등에 대해 좀 따져 보기로 하자.

평등

루소가 말하는 평등은

평등이란

모든 사람이 권력과 재물을 똑같이
나눈다는 의미가 아니야.

너 하나
나 하나.

개인이 소유하는 권력과
재물에는 차이가 있음을 루소도
인정해.

너 하나 나 둘…
이게 공정해.

단, 그 차이가 정당해야 하고, 또 적당해야
옳다고 주장해.

난 귀족이니까
이 정도 재산은
있어야지.

권력은 폭력이
될 만큼 강해서는
안 되고

지위와 법률에 의해서만
행사되어야 해.

맘 같아선 그냥
때려 주고 싶지만
법이 있으니…

귀족을 위한
귀족법
제23조 3항에
의거해서
….

재물도 마찬가지야.

아무리 부유하다 해도 다른 사람을 매수할 수
없고

돈으로 사서
노예로 부리고
싶은데…

안타깝다.

제아무리 가난해도 자신을 팔지는
못해.

아~ 배고파.
누가 날
사 가면
좋을
텐데…

그러니 구성원들이 모두
행복해지려면

정말
행복해.

강자와 약자 모두 절제라는 덕목을 갖춰서

절제의 미

강자는 부와 명예를 절제하고

재산을
더 모으고
싶지만 부당한
방법으로는
그만해야겠지?

약자는 탐욕을 절제해야 하지.

참자….

배가
고프다고
남의 것을
탐내면
안 돼.

그리고 이 두 집단을 모두 그대로 두면
위험하니 국가가 안정되려면

금은 상자 하나만
가져갈게.

우씨~

가능한 빈부 차를 줄여서 부자도 없고
거지도 없도록 만들어야 해.

자, 이 정도면
먹고살 수 있지?

쿵

어때? 루소가 말하는 이런 평등이 비현실적일지는 몰라도

만세! 나도 이젠 부자다!

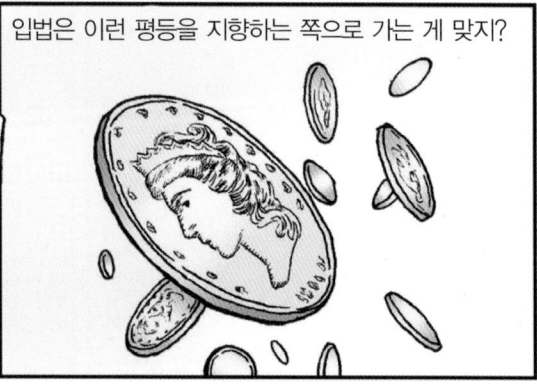

입법은 이런 평등을 지향하는 쪽으로 가는 게 맞지?

요즘 우리나라에서도 양극화가 심해져 대책이 시급하잖아.

중산층이 붕괴되고

파산

부익부 빈익빈 현상이 계속 심해지면 종국엔 공동체는 무너지게 돼.

지금까지 입법의 여러 측면을 짚어 본 것 같은데

입 법

아 참! 한 가지가 빠졌군.

입법에서 각 나라의 특수성을 고려하지 않으면 결코 훌륭한 법이 될 수 없다는 점.

특히 지역적 여건과 국민의 기질에 맞지 않으면 아무 소용이 없어!

예를 들면 한 나라에서도 내륙과 해안은 서로 다른 법이 필요해.

난 농부인데 세금으로 생선을 내놓으래.

나는 어부인데 쌀을 내놓으라니 말도 안 돼….

바다를 끼고 있는 나라라면 항해술을 개발하고 무역을 장려하는 쪽으로 법률을 제정할 필요가 있어.

뿐만 아니라 각 나라 국민이 그들의 고유한 기질을 발휘할 수 있도록

방향을 잡아 주는 것도 입법자의 몫이야.

당신은 이쪽!

자네는 저쪽으로….

그러한 사례는 무수히 많은데

사례 사례 사례 사례 사례 사례 사례

특히 유대인들과 아랍인들은 종교를,

오~ 신이시여.

아테네인들은 문학을,

오~ 아름다운 날들이여~

카르타고인과 티르인들은 상업을,

로데스인들은 항해술, 스파르타인들은 전쟁을,

그리고 로마인들은 덕을 목표로 삼은 예가 있지.

덕으로 나라를….

만약 입법자가 국가와 국민을 제대로 파악 못하고

우리 국민들이라면 이 정도 법쯤이야 식은 죽 먹기지.

목표를 잘못 잡으면 어떻게 될까?

법률은 힘을 잃고 국가는 결국 멸망하지 않을까?

루소는 법률을 크게 세 가지로 나누고 있어.

첫째는 국가와 국민의 관계를 규정하는 법인데 정치법 또는 기본법이라고 해.

둘째는 구성원 즉 국민들의 관계를 다룬 법이야.

민법이라고 해.

마지막으로 국민과 법의 관계를 규정하는 형법이 있지.

거기 서라, 이 도둑놈아!

헉 헉

형법은 법을 어겼을 때 어떻게 처벌할지를 규정하는 법이야.

넌 감옥행이야!

루소가 이 책에서 다루고 있는 것은 정치법이야.

그래서 책의 부제목도 정치법의 원리지.

정치법의 원리

그런데 이 세 가지 외에 중요한 법이 또 있는데 바로 도덕과 관습과 여론이야.

법 관습 여론 도덕

특히 중요한 건 도덕이고.

도덕

모든 권력이나 법이 성공적으로 집행될지 여부는 이 네 번째 법에 달려 있다 해도 과언이 아니야.

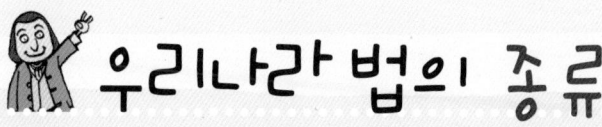

우리나라 법의 종류

법은 우리의 사회생활을 규율하는 것으로 크게 공법(公法), 사법(私法), 사회법(社會法)으로 나뉜다. 공법은 개인과 국가, 또는 국가 기관 사이의 관계를 규율하는 법이고, 사법은 개인과 개인 사이의 생활을 규율하는 법이며, 사회법은 사회적 약자를 보호하기 위한 법으로 자본주의의 문제점을 합리적으로 해결하기 위해 근래에 등장한 법이다. 사회법은 사법과 공법의 성격을 모두 가진 법이라고 할 수 있다. 우리나라의 법의 종류와 체계는 아래 그림과 같다.

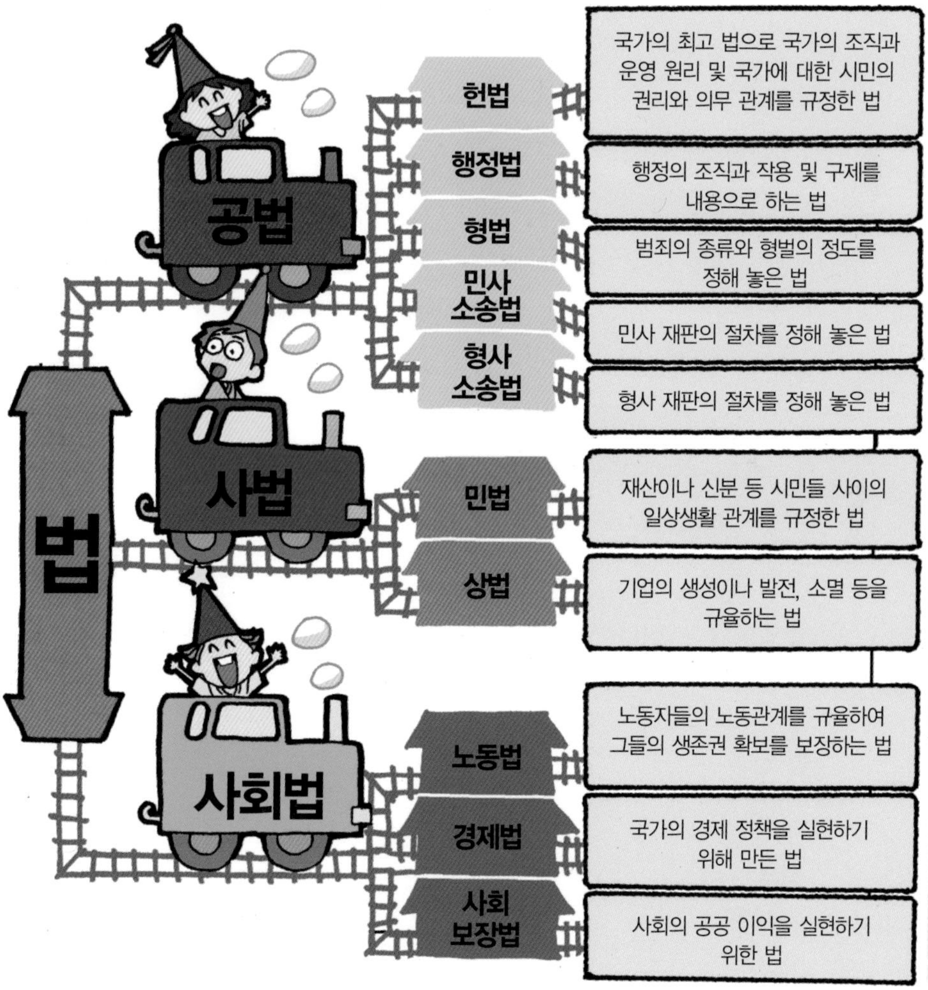

법

공법

- 헌법 — 국가의 최고 법으로 국가의 조직과 운영 원리 및 국가에 대한 시민의 권리와 의무 관계를 규정한 법
- 행정법 — 행정의 조직과 작용 및 구제를 내용으로 하는 법
- 형법 — 범죄의 종류와 형벌의 정도를 정해 놓은 법
- 민사 소송법 — 민사 재판의 절차를 정해 놓은 법
- 형사 소송법 — 형사 재판의 절차를 정해 놓은 법

사법

- 민법 — 재산이나 신분 등 시민들 사이의 일상생활 관계를 규정한 법
- 상법 — 기업의 생성이나 발전, 소멸 등을 규율하는 법

사회법

- 노동법 — 노동자들의 노동관계를 규율하여 그들의 생존권 확보를 보장하는 법
- 경제법 — 국가의 경제 정책을 실현하기 위해 만든 법
- 사회 보장법 — 사회의 공공 이익을 실현하기 위한 법

대한민국의 법은 어떻게 제정될까?

입법은 국회에서

몽테스키외에 의해 정립된 삼권 분립 제도는 국민 주권주의를 이룩하는 데 가장 효과적이고 능률적인 제도로, 근대 이후 대부분의 민주 국가의 근간으로 받아들여졌다. 특히 입법권을 국민의 대의 기관인 의회가 갖는 것을 원칙으로 한 것은 국민의 의사에 의해 국가가 통치된다는 것을 의미한다.

민주 공화국인 우리나라도 입법권, 행정권, 사법권의 삼권 분립을 토대로 국가가 운영되고 있으며, 입법권에서 제정한 법률은 국가를 통치하는 기본 틀이며, 이 틀 안에서 행정권과 사법권이 운영된다. 우리나라 헌법 제42조에서는 '입법권은 국회에 속한다.' 라고 하여 법을 만드는 권한은 국회에 있음을 명시하고 있다. 그리고 헌법 제52조에서 '국회의원과 정부는 법률안을 제출할 수 있다.' 고 하여 정부에게도 법률안 제출권을 부여하고 있어 정부도 입법에 참여할 수 있음을 제도적으로 보장하고 있으나 법률 제정권은 여전히 국회에 있다. 그러나 건강한 권력 분립을 위해 약간의 예외를 인정하고 있는데,

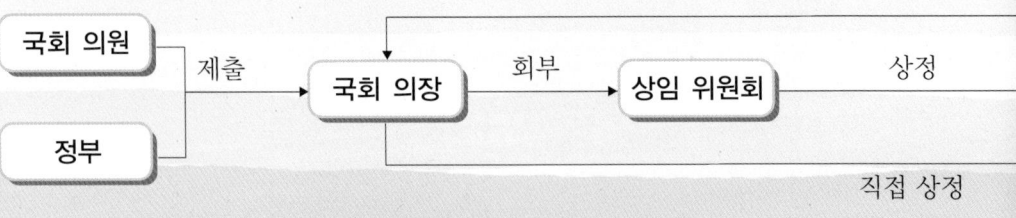

행정부 및 사법부의 시행 규칙 제정권, 지방 자치 단체의 조례 제정권 등이 그것이다. 하지만 이것도 국회에서 제정한 법률의 범위를 벗어날 수 없다.

법률안이 발의되는 경로

우리나라 법이 제정되는 과정을 간단한 도표로 정리하면 아래와 같다.

국회의원에 의해 법률안이 발의되는 경우는 여러 가지로 살펴볼 수 있다. 첫째, 국회의원이 직접 기초하는 경우, 둘째 정부 또는 제3자가 기초하여 제공하는 안을 근간으로 의원이 입안하여 제출하는 경우, 정부가 마련한 안을 의원을 통하여 제출하는 경우, 관련 단체 등이 마련한 법률 초안을 의원을 통하여 제출하는 경우 등이 있다. 이럴 경우 법률 발의자를 포함하여 10인 이상의 찬성으로 발의해야 하며, 예산이 필요한 법률안의 경우에는 예산 명세서를 아울러 제출해야 한다. 그리고 정부 제출 법률안은 국무 회의의 심의를 거쳐 대통령 명의로 제출하는데, 국무총리와 관계 국무 위원이 동의한다는 서명을 해야 한다.

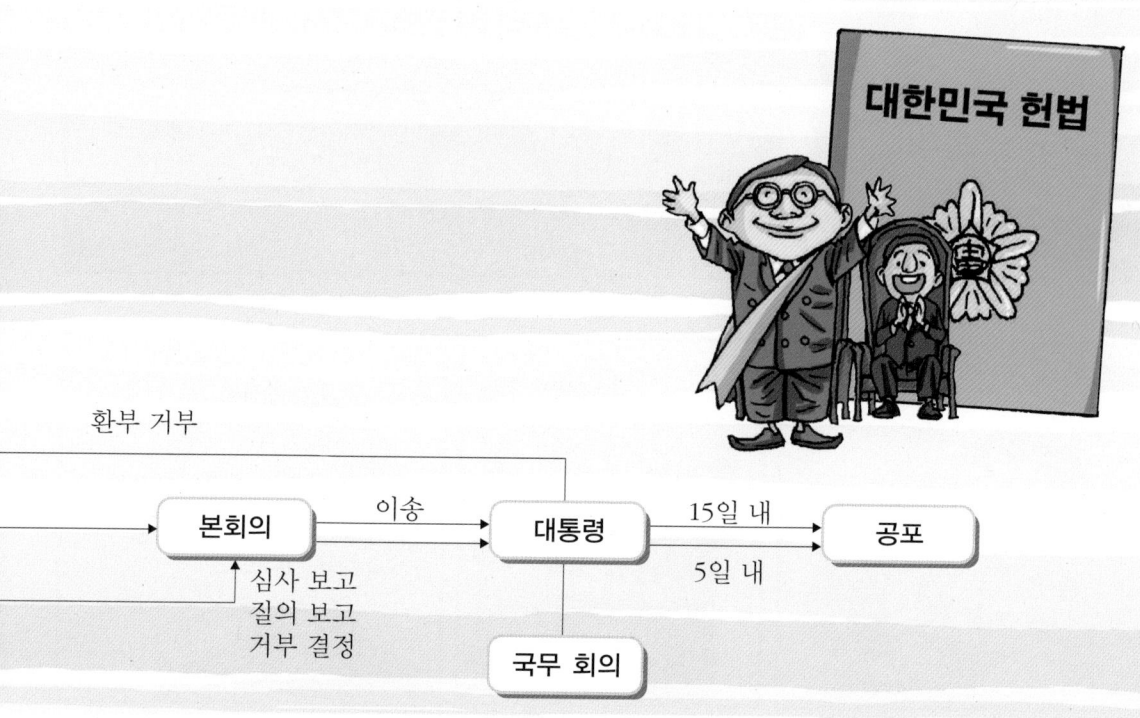

제7장 작아도 알찬 나라가 좋아

지금까지 하드웨어와 소프트웨어를 살펴봤다면 이번에는 유저(User)에 초점을 맞춰 보도록 하자.

계약이건 주권이건 법이건 결국 주인공은 국민이야. 국민은 곧 일반 의지의 근원이지.

루소는 국민을 사람에 비유해서 설명해. 인간이 때가 되면 어른이 되듯이

국민도 성장을 한다는 거야.

국가의 구성원으로서 성숙해진다는 거지.

루소는 국민이 성숙해야 법률을 잘 지키게 된다고 봤어.

그러니 통치자 입장에서는 반드시 이 성숙기를 기다려서 국민이 법률을 잘 따르게 해야 하지. 하지만 국민의 성숙기가 언제인가를 아는 것은 쉽지가 않아.

사람 같으면 키가 크고 목소리가 굵어지는 등 겉으로 드러나기 마련이지만 국민은 다르지.

성숙의 시기가 오기 전에 통치자가 성급히 행동하면 일은 엉망이 되고 말아.

게다가 성장 속도도 국민마다 달라서

어떤 국민은 태어나면서부터 규율을 지킬 수 있지만

어떤 국민은 1000년이 지나도 못 지키기도 해.

성숙한 상태로 태어난 국민이란 대체 어느 나라 국민을 말하는 걸까?

그리고 1000년이 지나도록 규율을 못 지키는 사람은 또 어디 사람일까?

더 이상 언급을 안 해 놨으니 상상에 맡기는 수밖에.

루소는 통치자가 국민의 성장 속도를 제대로 파악하지 못해서 다 함께 고생한 경우로 러시아의 표트르 1세(피터 대제)를 들고 있어. 로마노프 왕조의 4대 황제로 러시아 절대주의 왕정의 대표 격인 군주지.

18세기 초 그는 서유럽에 사절단을 파견하면서 스스로 변장을 하고 사절단의 일원이 되었지.

서유럽을 여행하며 견문을 넓히고 직접 여러 기술을 익히기도 했어.

그의 유럽 여행은 본국에서 반란이 일어나는 바람에 중단되었지만

귀국 후 그는 러시아를 서구화하고자 여러 가지 개혁을 단행했어.

러시아인의 옷차림과 수염에 이르기까지 모든 관습과 풍속에 메스를 들이댔지.

과학 기술자들을 초빙해서 연구소 운영을 맡기기도 했어.

18세기 중반에 러시아를 통치한 예카테리나 대제도 러시아에 서유럽 문화를 접목하려고 애썼지.

이처럼 18세기 러시아 군주들은 서유럽을 이상적인 모델로 여겼어.

서유럽

루소는 표트르 1세가 자기 국민이 야만의 상태에 있다는 것은 알았지만 성숙 여부는 판단하지 못했다고 봤어.

그래서 러시아 국민이 아직도 훈련을 받아야 할 시기인데도 서둘러서 서구화하려는 무리한 시도를 했다고 했지.

성급한 표트르 1세 탓에 러시아인들은

이제는 우리 러시아도 잘살 수 있을 거야.

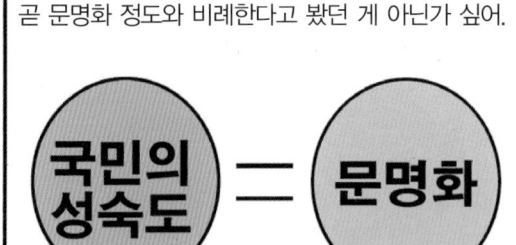

스스로를 문명화된 서구인이라고 착각하게 되었공

우리도 문명인이다.

그래서 오히려 잘못되었다는 거야.

이 대목을 음미해 보면 루소는 국민의 성숙도가 곧 문명화 정도와 비례한다고 봤던 게 아닌가 싶어.

국민의 성숙도 = 문명화

또한 루소의 마음 깊은 곳에는 러시아 제국에 대한 경계심도 아주 조금은 자리 잡고 있지 않았나 싶고.

러시아, 깨어나면 정말 무서운 나라가 될 거야.

루소가 국민을 사람에 비유해서 설명한 것이 또 있단다.

사람은 나이가 들면 자기 주관이 생겨.

어떤 사물이나 현상을 대할 때 자기만의 시각으로 바라보게 되지.

정말 아름답네…. 마치 우리네 인생 같아!

너희들도 이미 주관이 있다고?

주관식 시험을 몇 번 봤더니 주관이 생겼다고?

저런 저런.

그건 좀 아닌 거 같은데….

좀 나쁘게 말하면 고집이 생긴다고도 볼 수 있는데

아버지 이젠 편히 좀 쉬세요.

됐다! 놀면 뭐 하냐.

국민도 시간이 갈수록 완고해져서 새로운 것을 잘 받아들이지 못하고

Oh~NO!

새로운 정책

개혁에 저항하게 돼.

이뿐만이 아니야. 국민은 때로는 사람처럼 기억 상실증에 걸리기도 해.

재원아, 오랜만이다. 잘 지내고 있지?

누구더라?

사람이 대개 병이나 사고로 기억 상실증에 걸리는 데 반해 국민은 혁명 같은 급격한 변화가 계기가 돼.

도망쳐라!

혁명의 격동기를 지나면서 공포에 질린 나머지 기억을 상실하게 되지.

내가 왜 도망가고 있는 거지?

국민이 살고 있는 공간인 국토는 얼마나 커야 할까? 클수록 좋을까?

땅은 넓을수록 좋은 거라고 생각하기 쉬운데 그렇지 않아.

휘유~ 땅이 넓으니까 관리 하게가 너무 힘들다.

휘이이잉

땅은 너무 커도 너무 작아도 좋지 않아!

면적이 너무 크면 제대로 통치할 수 없고

이쪽 저쪽 돌보느라 잠잘 시간도 없네.

너무 작으면 스스로를 유지할 수 없기 때문이야.

다리 뻗고 자 보는 게 소원이야….

특히 땅이 넓은 나라는 분쟁의 소지가 많아서 오히려 국가의 힘이 약해지는 수가 있어.

우리 너희들을 위해 세금을 많이 낸다고!

우린 너휠 위해 농사를 짓잖아!

중앙 정부

너희는 매일 싸우냐? 사이좋게 좀 지내라!

국민들 간의 유대도 더욱 악화되기 쉬워.

흥! 잘해 봐라!

흥!

몸에서 멀어지면 마음도 멀어진다는데….

돌아와….

게다가 거리가 멀수록 행정 관리도 힘들어져.

일을 열심히 하고 있을까?

아무도 보는 사람이 없으니 잠이나 자자….

루소는 이를 지렛대가 길수록 그 끝에 놓인 물체의 무게가 늘어나는 것에 비유하고 있어.

게다가 행정 단계가 늘어나면 관리 비용도 늘어나게 되고

거리가 멀수록 정부에서 신속하게 대응하지 못하는 경우가 생겨.

결재 부탁한 지가 언제인데 아직도 안 해 주는 거야!

그러게 말야!

만약 변방에서 반란이 일어난다 하더라도 정부군이 진입하기에는 시간이 걸리는 거지.

쾅 쾅

앗! 쿠데타다!

정부군이 오는 동안 반란이 확산될 수도 있고 말이야.

다 끝나니까 오는 건 뭐야….

문제는 이것뿐이 아니야.

땅이 넓으면 지방마다 풍토가 다르니 지방색이 강해지고 풍속의 차이가 커져.

더운데 옷차림이 그게 뭐냐?

여기는 추워.

국민들은 한 국가의 국민이긴 해도 동포로서의 결속감을 별로 못 느끼게 되지.

우리가 알아서 할게. 넌 빠져!

you too.

게다가 국토가 넓으면 지방 정부의 권한이 커지게끔 되어 있어.

지방 정부

지방 정부

중앙 정부

중앙의 지도자들이 직접 나서서 확인하기 어려우니 지방 조직에 맡기게 되고

이것 좀….

우리가 알아서 한다니깐요!

중앙 정부는 필요 없어!

그러면 결국 지방의 말단 행정 직원들이 다스리는 셈이 되는 거야.

우리가 결정하면 그만이야!

또한 지방의 관리들은 이 틈을 이용해서 점점 더 중앙 정부의 감독을 피하려고 하거나 속이려고 할 거야.

우린 숨기는 거 없어!

뒤에 숨긴 그건

뭐… 뭐고?

이처럼 국가 조직의 규모가 지나치게 크면 국가는 제 자신의 무게에 짓눌려 제풀에 쇠약해지고 마는 거야.

힘없는 정부라 서럽구나..

시실 우리나라는 국토가 너무 넓어서 생기는 문제는 찾아보기 힘들어.

어서 세금을 내!

귀청 떨어지겠다. 바로 옆에 있는데 왜 소릴 지르고 그래!

그렇지만 지방 자치제는 실시하고 있단다.

대전 자치구

부산 자치구

옛날에는 중앙에서 지방 관리를 죄다 임명했지만

땡큐….

임명장

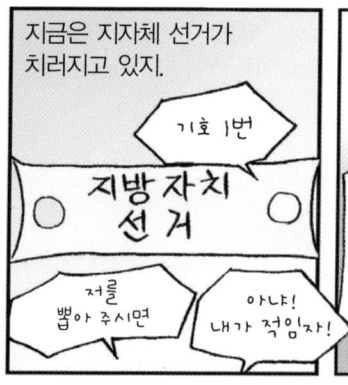

지금은 지자체 선거가 치러지고 있지.

기호 1번

지방자치 선거

저를 뽑아 주시면

아냐! 내가 적임자!

그러나 아직 진정한 의미의 지방 자치가 이루어지고 있다고 보기는 어려워.

지방 자치라면 중앙 정부의 간섭이 왜 이렇게 심한 거야!

앞으로 차차 나아지리라는 기대를 가져 보자.

루소는 땅이 넓은 나라보다 작아도 알찬 나라가 더 바람직하다고 봤어.

작다고 우습게 봤다가는 혼날걸!

대개 소국은 대국보다 국토가 작은 만큼 더 강하기 마련인데

후퇴!

칼 들고 왔는데 대포가 웬말이냐!

실제로 유럽에는 강소국들이 많이 있어.

유럽

스웨덴, 아일랜드, 네덜란드, 핀란드, 스위스 등이 대표적인 강소국으로 꼽히지.

나라 규모는 작지만 부유하고 강한 국가들이지. 우리나라의 경우는 면적만 보면 강소국 후보에 들지만 인구 수로 볼 때 세계 13위의 대국이라 강소국으로 분류하기는 어려워.

대한민국

그렇다면 대체 어느 정도가 되어야 적당한 걸까? 국가의 보존에 가장 유리한 크기를 어떻게 찾아낼 수 있을까?

이곳 저곳 전부 돌아다녀 보면 되지 않을까?

한 가지 방법이 있어. 국가를 만드는 것은 사람이고 사람을 먹여 살리는 것은 영토야.

그러므로 영토는 그 수확으로 국민을 먹여 살리기에 충분해야 해.

콩 하나로 이 많은 사람들이 어떻게 살아….

물론 국민은 토지가 부양할 수 있는 만큼만 있어야 하고.

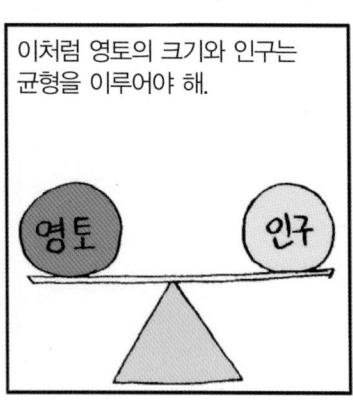

이처럼 영토의 크기와 인구는 균형을 이루어야 해.

영토　인구

영토가 너무 넓으면 일단 영토를 지키기가 힘들고

혼자는 외로워….

생산은 과잉 상태가 될 거야.

결국 농산물을 노리는 외적이 침입해 올 테니 이에 맞서는 방어 전쟁을 벌여야 할 거야.

쾅쾅

반대로 영토가 좁으면 부족한 식량을 이웃 국가들에 의존하게 되거나 빼앗기 위해 전쟁을 해야겠지.

도망가자!

국민의 생사는 이웃 국민들의 태도와 정세 변화에 좌우되므로 지극히 불안한 상태가 되지. 다른 국민을 정복하지 않으면 정복당하게 돼. 어느 경우든 비극이야 비극.

사회계약론

한편 똑같은 인구라고 해도 국토의 질에 따라 사정이 달라지기도 해.

예를 들어 국토의 대부분이 산이라고 해 보자.

가파른 언덕은 경작에 불리하므로 농업 수확량이 적겠지.

반대의 경우도 있어. 예를 들어 해안 지대는 바위나 모래밭이 대부분이어서 경작이 불가능하지만

어업을 통해 식량을 충분히 조달할 수 있으니 토지 생산물의 부족한 몫을 충당할 수 있지.

또한 바다에는 해적들이 출몰하니

해적이다!

해적이 나타났다!

이를 물리치려면 주민들이 옹기종기 모여 살아야 돼.

뱃머리를 저쪽으로!

그래야 힘을 합쳐 해적을 무찌를 것 아니니.

으~무서.

일단 후퇴!

게다가 해안 지대는 인구가 늘어나 과잉 상태가 되어도

아~ 발 치워.

으~ 땅이 너무 좁아졌다!

배를 타고 식민지로 쉽게 이주할 수 있으니 금상첨화야.

야호! 새로운 땅이다!

산악 국가에 비해 땅이 좁아도 국민들이 충분히 살 수 있다고 봐야겠지.

정말 기름진 곳이네….

루소는 영토의 면적과 인구가 서로를 충족시켜 주는 수치를 뽑아 보려고 했지만 잘 되지 않았어.

어렵다….

나라마다 토질, 비옥한 정도, 산물의 성질, 기후 등에서 크게 차이가 났거든.

여기는 꽁꽁 얼고 저기는 푹푹 찌고.

또 주민의 기질도 저마다 달라서

싸우지 말고 사이좋게 지내자!

시끄러! 다 덤벼!

비옥한 지방에 살면서도 적게 소비하는 사람이 있는 반면

올해도 풍년이 들었네.

메마른 지방에 살면서도 소비가 많은 사람도 있어.

먹고 죽은 귀신은 때깔도 좋다는데….

일단 먹고 보자!

또한 그 나라 여성들의 출산 능력까지도 고려해야 하지.

엄마….

엄마….

그러므로 입법자는 한 나라의 법률 체계를 세울 때 눈 앞의 상황만 보지 말고

가장 높이 나는 새가 가장 멀리 본다 했지. 시야를 넓히자.

인구가 늘어나는지 줄어드는지 그 추세까지 따져 봐야 해.

하나! 둘! 셋! 넷!

아빠! 배고파….

입법자가 법을 제정할 때 신경 써야 할 것이 또 있단다.

쉴 시간도 없고.

머리도 아프고…. 그만두고 싶네!

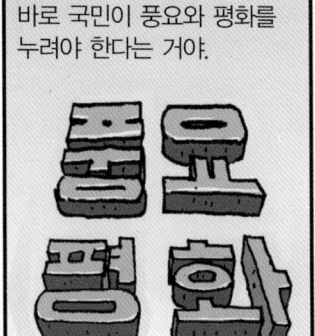

바로 국민이 풍요와 평화를 누려야 한다는 거야.

풍요 평화

대부분의 입법자들은 국민이 풍요와 평화를 누릴 수 있도록 법을 만들어.

국민을 위해서라면 이쯤이야!

그러나 때로는 폭군이 입법자 행세를 하며

내가 만든 법인데 다들 맘에 들지!

아…

법을 만들기도 하지.

난 국민을 너무 사랑하는 거 같아…

예…

콩 콩

이런 불행한 사태가 일어나는 건 대부분 국가적 혼란기야.

독재 정권 물러가라!

물러가라!

특히 국가가 막 생겨나는 시기에는 정치 조직이 아직 기반을 잡지 못한 상태이므로 가장 무너지기 쉽단다.

와르르

이런 혼란기에 전쟁이 터지거나 폭동이라도 일어나면

이때다, 우리 평민의 힘을 보이자!

헉!

와아

국가는 바로 전복되지.

항복!

반면 이때 정부가 수립되기도 하는데 이들은 대부분 혼란을 조장하거나 이용해서 정권을 뺏을 자들이야.

싸워라! 난 그 틈에.

정부

그러고는 자기들에게만 이로운 악법을 만들어 이를 통과시키지.

내 말 잘 듣는 게 좋을 거다! 모두 당장 집으로 돌아가라!

그러므로 법이 제정된 시기를 살펴보면

또 다른 암흑 시대가 오는구나.

입법자가 폭군인지 아닌지 금방 가려낼 수 있단다.

흐흐흐…

그렇다면 입법자는 어떤 국민을 대상으로 법을 만들어야 할까?

어떤 국민에게 법을 만들어 줄 때 입법자가 가장 보람을 느낄까?

그거야 우리가 만든 법을 잘 지키는 국민을 볼 때 가장 보람을 느끼지….

말하자면 입법자 입장에서 보는 이상적인 국민은 누구일까?

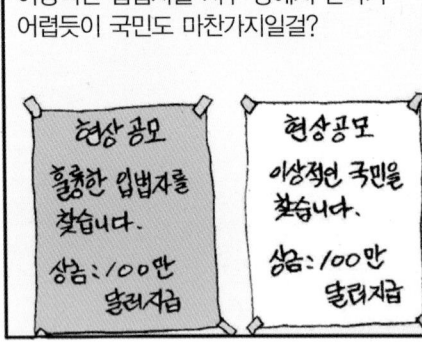

이상적인 입법자를 지구 상에서 만나기 어렵듯이 국민도 마찬가지일걸?

현상 공모
훌륭한 입법자를 찾습니다.
상금: 100만 달러지급

현상공모
이상적인 국민을 찾습니다.
상금: 100만 달러지급

그래도 우리는 루소의 사상을 알기 위해 이 책을 읽는 것이니까 참고 삼아 그 내용을 살펴보자고.

사회계약론

루소

아직 법률의 속박을 맛보지 못한 국민. 관습이나 미신에 깊이 빠지지 않은 국민.

아무것도 관심 없어! 먹을 것만 있음 돼.

이웃끼리의 분쟁에 개입하지는 않지만 필요하다면 그중 누구와도 단독으로 대결할 수 있거나 그중 하나를 격퇴하기 위해 다른 하나의 도움을 받을 수 있는 국민.

너희들 거기 꼼짝말고 기다려!.

친구들아 도와줘….

다른 국민의 도움 없이 지낼 수 있고 또한 다른 국민을 돕지 않고도 지낼 수 있는 국민.

난 혼자 뭐든지 할 수 있다.

부유하지도 가난하지도 않으며 스스로 만족할 수 있는 국민.

가난하지만 건강한 내 삶에 만족해..

옛 국민의 진실성과 새 국민의 온순함을 함께 구비하고 있는 국민.

정말 이상적인 국민들이지.

사실, 이 조건 중 하나도 제대로 충족되기는 아주 어려워.

입법이 훌륭하게 된 국가도 드물고.

하지만 이 나라만큼은 조금 다를 거 같아!

바로 코르시카라는 조그만 섬인데 입법이 가능한 나라일 거야!

코르시카는 프랑스의 26개 지방 중 하나이고 나폴레옹의 고향으로 유명한 곳이란다.

루소는 이 작은 섬나라가 언제고 유럽을 놀라게 할 날이 오리라고 예감했지.

당시 코르시카 섬은 프랑스에 대항해 독립운동을 벌이는 중이었어.

우리는 독립을 원한다!

물러가라!

코르시카의 독립운동 지도자 파올리는 1764년 9월 루소에게 코르시카를 위해 헌법을 만들어 줄 것을 요청했단다.

루소 선생님, 우리 코르시카를 위해 헌법을 좀 만들어 주시기 바랍니다.

루소는 그들의 개혁 계획에 적합한 헌법 초안(1765)을 만들었고

코르시카 헌법 초안

스스로 입법자가 되었어. 그러나 그 헌법이 실현되어야 할 국가는 결국 수립되지 못했지.

루소는 한동안 코르시카로 이주하려는 생각까지 했다고 해.

로마노프 왕조와 전제 군주제

모스크바 공국에서 문명국가로

러시아는 12세기경 몽골 제국의 지배를 받았던 모스크바 공국에 기원을 둔 나라이다. 러시아는 1917년에 혁명이 일어날 때까지 동부 유럽과 극동 아시아의 광대한 지역의 땅을 다스렸다. 몽골 제국의 지배를 받았던 240여 년 동안에는 유럽 문화와 단절되어 문명국가로 성장하지 못하다가 이반 3세가 권력을 잡고 몽골 제국의 간섭에서 독립한 후 강대국의 기틀을 마련했다.

이반 3세는 러시아를 통치하기 위해 강력한 전제 군주제를 실시했다. 그는 법률과 행정 조직을 새로 만들고 크렘린 궁을 짓는 등 많은 업적을 남기고 다음 세대가 발전할 수 있는 초석을 닦았다. 이반 3세의 뒤를 이어 왕위에 오른 이반 4세는 차르* 호칭을 본격적으로 사용하면서 전제 군주로서 입지를 강화하였다. 그러나 그가 죽은 후에 벌어진 왕위 계승의 갈등과 농민 반란으로 모스크바 공국은 위기에 처했고, 1610년 폴란드의 침략으로 마침내 몰락했다.

표트르 1세는 로마노프 왕조 전제 군주의 상징이다.

최초의 러시아 황제

로마노프 왕조는 이러한 혼란기에 세워진 왕조로 처음에는 국민군과 의회의 지지를 받았다. 그러나 왕조가 안정되면서 다시 전제 군주제로 복귀했는데, 대표적인 전제 군주로 표트르 1세를 들 수 있다. 표트르 1세는 강력한 왕권을 바탕으로 국내 정치를 안정시킨 후, 대대적인 영토 확장 정책을 실시하였다. 그는 북진 정책에 성공하여 스웨덴을 굴복시키고 서구 유럽으로 나가는 수로를 확보하였다. 그리고 그 후 영토를 계속 확장하여 오늘날 러시아 영토 대부분을 지배하는 최초의 러시아 황제가 되었다. 그러나 그가 죽자 왕위 계승권을 둘러싼 내분으로 정치가 다시 극도로 혼란해졌다. 이 틈을 타서

러시아 로마노프 왕조의 마지막 차르인 니콜라이 2세와 그의 가족.

귀족들은 농노제를 확대하여 농민들의 고혈을 쥐어짜는 정책을 강행하여 곳곳에서 농민들의 반란이 발생했다. 하지만 예카테리나 대제 등과 같은 로마노프 왕조의 황제들은 보수적인 전제 정치를 강화하여 국민들의 저항을 힘으로 잠재웠다.

압살과 저항

19세기에 들어서자 프랑스 대혁명의 영향과 나폴레옹과 벌인 전쟁으로 러시아에 자유주의 사상이 유입되면서 입헌 군주제나 공화제, 농노 해방 등 사회 개혁을 부르짖는 세력이 등장했다. 특히 니콜라이 1세 때는 지식인들이 앞장서서 러시아의 전제 군주제와 농노제를 비판했다. 러시아의 전제 군주들은 이들을 비밀경찰에 의한 감시와 통제, 암살과 같은 폭력적인 방법으로 압살하였다. 그러나 저항은 점점 거세져 결국 니콜라이 2세는 1905년 '10월 선언'으로 국민의 기본권을 인정하고 입헌 군주제를 채택했으나, 제1차 세계 대전 참전으로 경제가 파탄에 이르자 권좌에서 물러났다. 그 후 니콜라이 2세는 1917년에 일어난 볼셰비키 혁명으로 가족과 함께 처형을 당했고, 이로써 로마노프 왕조는 역사에서 사라졌다.

차르(Tsar) _ 황제를 의미하는 러시아어.

제8장 **귀족 정치의 재발견**

이제는 실제로 행정을 펴는 정부에 대하여 알아볼 차례야.

정부란?

우리가 하는 행동은 두 가지 원인으로 이루어져. 하나는 행위를 결정하는 의지이고

다른 하나는 행동을 실천으로 옮기는 힘이야.

으샤!

으샤!

체력은 모든 힘의 근원이지.

만약 너희가 아침 일찍 일어나려면 첫째, 그렇게 하겠다는 의지가 있어야 하고

4Kg 감량

내일부터는 아침 운동으로 뱃살을….

둘째, 그 의지를 행동으로 옮겨야 해.

아~ 졸려….

의지와 행동 두 가지가 합쳐질 때만 원하는 결과를 얻을 수 있지.

야호, 목표로 한 4Kg 감량 성공!

사회계약론

정치도 마찬가지여서 의지와 행동(힘)이라는 두 가지 원동력이 필요해.

정치에서의 의지는 입법권으로 나타나고 행동(힘)은 집행권으로 나타나.

이 둘이 따로 놀면 절대 안 되겠지.

너랑 안 놀아.

흥! 나도

이 힘을 일반 의지가 지시하는 방향에 따라 발휘하려면 정부라는 대리인이 필요해.

나가 봐!

정부는 실제 나라 행정을 책임지고 있는 조직이야.

정부는 주권자의 대리인 역할을 수행하고

정부는 주권자와 국가의 중간에 위치해서 주권자의 명령을 국민에게 전달하는 한편

왕을 위해 열심히 일해 주세요!

법률을 집행하고 시민의 자유를 보호하는 역할을 하지.

고맙소.

마치 개인에게 육체와 정신을 결합하는 것 같은 구실을 하는 거야.

왼발 한 발짝 앞으로….

조심!

우리가 대통령이나 장관, 공무원들을 '심부름꾼'이라고 부르는 것이나

맛있는 과자 좀 사다 주세요.

그들이 스스로 국민의 '심부름꾼'을 자처하는 것도 다 이런 이유 때문이야.

괜히 심부름꾼이 되겠단 말을 했네.

고맙습니다.

이젠 놀이터 청소도 해 주세요.

좋은 정부란 이 대리인 역할을 잘하는 정부야.

정부는 국민에게 고용된 입장이나, 만약 국민을 위해 열심히 일하지 않는다면 해고되는 것이 마땅하지.

당신은 해고야!

빵

윽!

우리가 정기적으로 대통령이나 국회의원 선거를 치르는 것도 다 그런 이유야.

국민의 대리인으로 일을 잘했는지 못했는지 평가하여 고용 여부를 결정하는 거지.

저를 뽑아 주셔서

감사합니다 여러분….

그런데 심부름꾼이라면서 주인 행세를 하는 이들이 많아.

감사는 무신!

당선되니까 목에 힘이 잔뜩 들어갔네.

심부름을 잘하라고 국민이 맡긴 권한이 워낙 크다 보니 자기들이 주인인 줄 착각하는 거지.

이것들이 다 내 것이란 말이지.

사실 권력의 맛을 보게 되면

권력탕

어~ 좋다….

여간한 인격자가 아닌 이상 빠져나오기 어렵다는군.

뽀글 뽀글

그렇다 하더라도 심부름꾼들은 국민 위에 군림하려 해서는 안 돼.

아이고~ 세상 편하다.

정부보다 법이 중요하고

법

법보다 국민이 더 중요하니까.

사회계약론

또한 정부가 자기를 국가와 혼동하면 그것도 곤란하지.

정부가 곧 국가다!

정부는 국가의 일부로서 그 힘은 전적으로 국가의 힘에 따라 좌우되는 거야.

만약 국가의 힘은 그대로인데 정부만 커졌다면 무슨 의미일까?

하하하, 정말 작구나.

나만 배부르면 그만이지.

정부가 국민을 위해 써야 할 힘을 자기를 위해 쏟고 있다는 얘기란다. 국민은 내가 알 바가 아냐.

공무원 수가 필요 이상으로 늘면

밀지 마!

비켜! 내가 먼저야.

줄 서 줄!

아얏! 누구야! 누가 발을……

세금은 공무원들 임금으로 다 나가고

국민들 몫은 없어져.

따라서 공무원 수가 늘어날수록 정부가 강해지는 것이 아니라

오히려 힘이 약해지지.

여기서 또다시 입법자의 지혜가 필요해.

정부의 권한과 규모는 어느 선이 가장 정당한지 결정해야 하니까.

정부에서 일하는 공무원들은 어떤 태도로 일하는 게 바람직할까?

혹시 부모님이 공무원이라면 한번 여쭤 보도록!

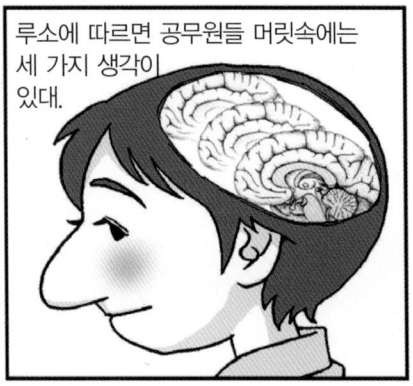

루소에 따르면 공무원들 머릿속에는 세 가지 생각이 있대.

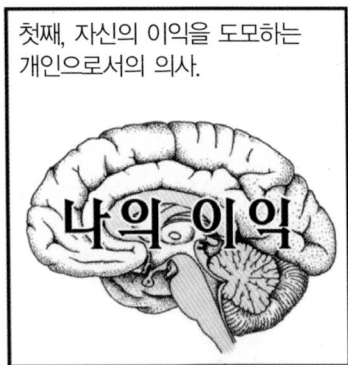

첫째, 자신의 이익을 도모하는 개인으로서의 의사.

나의 이익

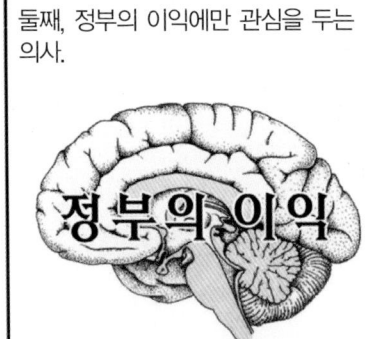

둘째, 정부의 이익에만 관심을 두는 의사.

정부의 이익

이 의사는 정부에 대해서는 일반 의지가 되지만 국가에 대해서는 개별적인 의사가 되겠지.

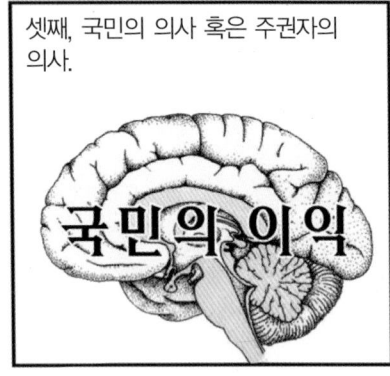

셋째, 국민의 의사 혹은 주권자의 의사.

국민의 의익

이 셋 중 가장 중요한 것은 뭘까?

나의 이익 정부 이익 국민 이익

물론 세 번째! 바로 국민의 의사 혹은 주권자의 의사야.

국민의 이익

나라가 잘되려면 공무원의 첫째 의사는 완전히 무시되어야 하고

둘째 의사도 가급적 억제되어야 해.

공무원에게는 일반 의지 즉 주권자의 의사가 항상 주가 되어야 해.

국민의 의사

그럼 정부는 어떤 형태가 좋을까?

국가의 크기, 기후, 역사, 국민성 등등에 따라 조금씩 차이가 있긴 하지만.

크게 구분하면 두세 종류야.

지금 세계 각 나라의 정부 형태는 거의 엇비슷해서 대부분 자유 민주주의 체제를 택하고 있어.

물론 몇몇 나라에는 아직도 독재 정부가 남아 있지만.

그러나 루소가 살던 때는 군주 정치와

귀족 정치가 팽팽하게 세력을 겨루던 시기였단다.

루소는 여기에 민주 정치를 보태서 정부의 형태를 세 종류로 구분해.

민주 정치　귀족 정치

귀족 정치

루소가 말하는 민주 정치는 국민이 직접 참여를 통해 주권을 행사하는 체제야.

나도 같이하자!

윽!

정치

귀족 정치는 소수가 국민을 이끌어 가는 것이지.

이 나라의 주인은 바로 우리 귀족이지.

군주 정치는 한 사람의 군주가 지배하는 건데 당시에는 가장 흔했어. 왕정이라고도 불리지. 물론 다양하게 혼합된 형태도 있었고.

스파르타엔 두 명의 왕이 지배하기도 했고

로마에서는 여덟 명의 황제가 함께 통치하기도 했단다.

먼저 민주 정치에 대해 알아보자. 알아 둬야 할 것은, 루소가 말하는 민주 정치는 민주주의만을 얘기한다는 것.

이번 시간은 자유 시간인데 우리 뭘 해 볼까? 각자의 생각을 말해 보도록 하자.

루소는 사람들이 모두 적극적으로 자기 생각을 얘기하며 참여하는 것을 민주 정치라고 봤어.

밖에서 축구 해요!

인형놀이 하고 싶은데.

간식 먹고 자요!

그래서 로마 시대처럼 모든 사람들이 광장에 모여 토론해야 한다고 생각했어.

이 체제에서는 모든 시민이 행정관이라서 너도나도 정치에 참여하기 때문에

내란이나 소요에 흔들리기 쉬워.

게다가 각자의 목소리를 높이다 보면 싸움도 끊이질 않지

그 게임은 내가 더 잘해!

아냐! 내가 더 잘해!

언뜻 보면 법을 만드는 사람과

법을 집행하는 사람이 같으니 좋을 거 같지만

이젠 집행하러…

루소가 주장했듯이 입법자가 집행까지 하는 건 바람직하지 않아.

공공의 업무에 개인의 이해관계가 영향을 미치는 건 위험하거든.

우리 입법자에게 유익하도록 법을 고치자!

게다가 공공 업무로 국민이 모이는 것도 쉬운 일이 아니고.

바쁜데 왜 자꾸 모이라는 거야?

또 뭔 일이래?

루소는 민주 정치가 지나치게 이상적이어서 현실에는 적합하지 않다고 생각했어.

마치 뜬구름 잡기 같아!

그러나 몇 가지 조건이 갖춰진 경우에는 가능한데, 국가가 아주 작아서 국민이 쉽게 모일 수 있고 국민들이 서로 알면 가능해.

여… 개똥이 아빠 어딜 가?

리처드, 자넨 일하러 가는가 보군. 난 장보러 간다네.

풍습이 단순해서 공공 업무도 단순해야 하고

국민의 지위와 재산이 평등해야 해!

국민이 사치에 물들지 않아야 해.

밥 한 술 먹고 굴비 한 번 보고….

왜냐하면 사치는 국민 전체를 물질의 노예로 만들어 버리거든.

황금 보기를 돌같이 하라!

사실 엄밀한 의미에서 진정한 민주 정치는 이제까지 존재하지 않았어.

직접 민주주의가 제대로 실현된 나라는 없단다.

대부분 민주 정치의 뜻은 살리면서

민주 정치 실현!

민주 정치!

효율성을 가질 수 있는 간접 민주주의를 채택하고 있지.

간접 민주주의

오늘날 우리가 알고 있는 민주 정치는 루소가 말한 귀족 정치와 오히려 더 비슷해.

우리는 닮은 꼴….

그럼 귀족 정치는 어떤 걸까? 귀족 몇몇이 설치는 정치일까?

평민이 무슨 정치를 한다고 그래!

윽!

혹시 귀족이라는 말 때문에 거부감이 들지는 않아?

귀족 없는 세상에 살고 싶다.

신분제 또는 계급 제도가 연상되긴 하지만 의미로 따지자면

신분제= 계급 제도.

통치를 몇몇 사람이 맡아서 하는 거야. 이야말로 무궁한 역사를 자랑하는 정치 체제이지.

초기의 인류는 이 정치 형태로 통치되었어.

가장들이 모여서 공공의 일을 의논했고

찬성!

반대!

찬성!

젊은이들은 어른들의 권위에 따랐지.

사냥 다녀 오겠습니다.

그때는 사제, 족장, 원로원, 그리고 장로들이 사회를 다스렸어.

대부분의 원주민 사회는 이런 체제로 이어져 왔어.

그러나 초기의 귀족 정치는 시간이 지나면서 변화를 맞게 되지.

재산이나 권력이 중요시되고

이런 꼬마가 나의 주인이라고?

또 그것이 세습되면서 특권을 가진 가문이 생겨나게 됐어.

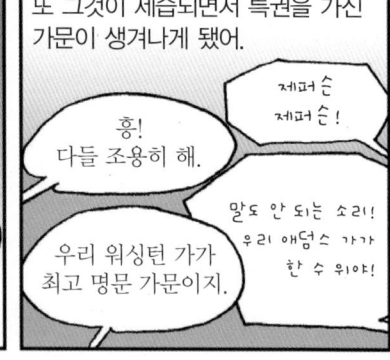

제퍼슨 제퍼슨!

흥! 다들 조용히 해.

우리 워싱턴 가가 최고 명문 가문이지.

말도 안 되는 소리! 우리 애덤스 가가 한 수 위야!

귀족 정치에는 세 종류가 있어. 첫째, 젊은이들이 어른에 복종하는 형태의 자연적인 귀족 정치로

아프리카의 원주민 마을은 지금도 이렇게 살고 있단다.

둘째는 선거에 의한 귀족 정치인데 가장 바람직한 형태야.

우탕가가 뼈다귀 열네 개로 당선됐다!

우탕가   위가와

지금 우리가 알고 있는 현재의 간접 정치와 거의 같은 건데 다른 말로 표현하면 '공화정' 이라고 해.

공 화 정

셋째는 부와 권력이 자손 대대로 세습되는 귀족 정치로서 모든 정부 형태 중에서 가장 나쁘지.

지금부터 왕은 내 아들 러브 3세다!

치즈~

선거에 의한 귀족 정치는 왜 가장 좋은 걸까?

귀족 정치

선거라는 절차를 통해 정직하고 총명하고 경험 많은 사람을 뽑을 수 있기 때문이야.

행정관이 소수이다 보니

셋!   둘!   하나!

회의도 쉽게 이루어지고 사건을 의논하고 처리하는 것도 더 질서 있고 빠르게 진행되지.

가장 현명한 사람들이 공공의 이익을 위해 일하는 게 확실하다면

공의 이익

공공의 이익

이것이 가장 좋고 자연스러운 방식이야.

선거에 의한 귀족 정치를 하려면 조건이 있어. 쓸데없이 행정 기관을 늘린다거나

휘유~ 한 집 건너 한 집이 행정 기관이네.

행정기관 시청

공무원을 마구 늘리지 말 것.

너도 공무원 해 봐.

공무원 공무원

또한 나라가 너무 작아도 안 좋아.

혼자 사니까 너무 심심하다.

또한 나라가 너무 커서, 여기저기 흩어져 있는 지배자들이 각자 자기 지역에서 우두머리가 되어 독립하는 일이 없어야 해.

여기도 독립!

me too!

이제 우리도 독립 국가다.

우리도 독립할래!

그래야만이 귀족 정치가 뿌리를 내릴 수 있어.

한 가지 흥미로운 점은, 귀족 정치는 부와 권력의 불평등성을 어느 정도 허용한다는 점이야.

한 푼만 줍쇼~

불평등에 대해 아예 '그러려니' 한다는 거지.

그래도 나라가 평화로우려면 부자는 절제할 줄 알아야 하고

힘들긴 하지만⋯.

기름을 아껴야 하니까 가끔은 걷자!

가난한 사람은 지나치게 불만을 품어서는 안 돼.

일을 해도 왜 계속 가난한 거야!

어차피 완전한 평등은 있을 수 없기 때문이야.

있다면 그곳이야말로 진정한 의미의 파라다이스일 거야.

Welcome To Paradise

통치를 맡은 소수의 귀족은 대개 경제적으로 여유 있는 사람들이야.

천장까지 쌓는 거야.

그 담엔 지붕까지!

생업에 매달리지 않고도 먹고사는 데 지장이 없다는 뜻이니까.

사장님 나이스 샷!

그러나 부자여서 그런 일을 하게 되는 것은 아니야.

루소는 가끔은 가난한 사람들을 선출해서 직분을 맡김으로써,

당신도 정치란 걸 한번 해 봐!

재산보다 더 중요한 선출 이유들이 있다는 점을 국민들에게 가르쳐 줘야 한댔지.

만세

그럼 군주 정치는 어떨까?

군주 정치는 루소가 살던 시대에 가장 흔하게 볼 수 있는 정치 체제였어.

루소가 거의 평생 동안 살았던 프랑스야말로

당시 유럽에서 가장 막강한 군주 국가였어.

세상의 중심은 바로 우리 프랑스!

루이 14세(1638~1715)가 스스로를 '태양왕'이라고 부른 이야기는 아주 유명해.

영원하라 프랑스여…

프랑스 부르봉 절대 왕정의 전성기를 대표하는 루이 14세는 발레를 엄청 좋아해서 실제로 발레극 무대에 서기도 했어.

〈밤의 발레〉에서 아폴론 역을 맡아 태양처럼 화려한 의상을 입고 나온 뒤부터 '태양왕'이라고 불리기 시작했다고 해.

그는 인간으로서 최고의 위치에서 살았지만 목욕을 싫어해서 엄청난 악취를 풍긴 것으로도 유명해.

으~ 냄새 때문에 속이 울렁거린다.

우웩

절대 군주의 절대 악취라…. 1년에 딱 한 번 목욕했대. 프랑스에 향수가 유행한 시기가 이때일걸.

어랏? 내가 들어오니까 물이 검정색으로 변하네….

군주 정치 체제에서 군주는 법률에 의해 행정권을 마음대로 행사할 수 있는 유일한 사람이야.

내가 이 나라의 왕이니 나의 말이 곧 법이다!

모든 왕들은 절대 군주를 바라지.

저 나라는 왕이 절대 군주라던데… 정말 부럽구나.

절대 정권을 갖는 가장 좋은 방법은?

음… 뭐 좋은 방법이 없을까?

사실 그건 간단해! 국민들로부터 사랑받는 왕이 되는 것이야.

그렇지만 국민의 사랑에서 비롯된 권력은 불안정하고 조건부의 권력이라서.

사랑해요.

국민의 사랑이 변한다면 나의 힘도 약해질 텐데….

군주들은 이에 만족 못할 거야.

멀뚱

멀뚱

다른 묘책이 없을까? 불안해서 잠이 안 온다!

군주들은 국민의 힘이 강해지는 걸 원치 않아.

루소는 여기서 마키아벨리와 그의 《군주론》을 언급하고 있어.

안녕.

군주론

마키아벨리가 군주들에게 통치 기술을 알려 주는 척하면서

강한 군주가 되고 싶다면 제가 하는 말을 잘 듣고 행동하시면 됩니다.

그래…

실은 국민들에게 힌트를 주곤 했다는 거야.

사실 군주가 아무리 똑똑해도 큰 나라를 혼자서 통치하기는 어려워.

$2 \times 1 = 2$
$2 \times 2 = 3$
$2 \times 3 = 7$
헤헤헤.

난 너무 똑똑해.

왕들은 자신의 대리인들을 통해 통치를 하곤 하는데.

대리인 아저씨, 나 사탕 좀 줘요….

군주 정치에서는 대개 교활하거나 간사한 무리들이 그런 자리를 맡지.

바보 같으니라구.

$2 \times 1 = 2$
$2 \times 2 = 3$
$2 \times 3 = 7$

군주 정치하의 행정관 중에 유능한 사람은 정말 드물어.

$2 \times 2 = 5$
인데… 큭큭, 진짜 바보야.

그들은 보잘것 없는 잔꾀로 왕에게 잘 보여 궁정에서 출세하는 거야.

저 바보를 이용해서 부자가 되어야지.

반면에 공화 정치(선거에 의한 귀족 정치)에서는 유능한 사람이 중요한 직책을 맡게 돼.

$2 \times 1 = 2$
$2 \times 2 = 4$
$2 \times 3 = 6$

해야 할 일이 너무 많다.

바로 이 대목이 공화 정치가 군주 정치보다 더 나은 이유가 되는 거야.

약 오르지~ 메롱메롱.

공화 정치

군주 정치

군주 정치의 가장 두드러진 단점은

통치자의 승계가 없다는 점이야.

뭐 해?
달려야지!

국왕이 죽으면 공백기가 생기지.

그래서 왕위 계승권이라는 것을 만들어 계승의 서열을 정해 두는데

형 다음은 나야.

일 번!

이는 적임자가 아닐지라도 일단 국왕 자리를 맡도록 해 두는 것이.

드디어 나도 왕이 됐다.

선거로 왕을 뽑는 것보다 편하기 때문이야.

놀 시간도 부족한데 무슨 선거를 한다고 그러나 몰라.

그러게 말야.

그냥 아무나 왕 하라고 그래!

또 하나의 단점은, 국가의 고정된 목표나 일관성 있는 정책을 기대하기 힘들다는 거야.

정책

후임자는 전임자의 정책을 계승하려 하기보다는 그와 반대되는 정책을 펴려 하거든.

빵

구식 정치

신 정책

그러니 통치자가 바뀔 때마다 통치 방법을 바꾸고 계획이 바뀌지.

지난 것은 버리고 새로운 통치 방법을 찾자!

만약 신에 버금가는 현명한 왕이 있다면 그때의 왕권은

가장 강력한 정부이므로 최상의 정부가 될 수 있어.

루소를 비롯한 주네브 사람들은 주네브 공화국의 공화정에 큰 자부심을 가지고 있었어.

'주네브에서는 모든 사람들이 형제', '주네브는 천국에 가장 가까운 나라' 라고 말하기도 했지.

제네바 공화국

그러나 루소가 어느 나라건 공화정이 최고라고 주장한 건 아니야.

여기도 공화정
공화정
우리도 공화정
공화정
공화정
화정

정부 체제는 나라의 환경에 따라 다르다고 봤어.

휘이잉~

그렇지만 군주 정치에 대해서는 강한 거부감을 갖고 있어서

군주 정치는 국민을 위한 정치가 아니야.

군주 정치의 실상을 알려면 현명한 왕을 찾지 말고

열등하거나 악질적인 왕을 찾아 그가 다스리는 나라에 가 보면 된다고 했어.

악질 왕을 찾는 거라면 나 칼리굴라가 최고지.

왕이 다스리는 나라라, 지금도 왕이 있는 나라가 있는데

너희들도 알다시피 현재 영국과 일본에는 세습 군주가 있어.

하지만 그들은 그냥 왕실을 상징하는 존재일 뿐 주권은 국민에게 있단다.

그러니 현대의 영국과 일본을 공화정으로 보면 돼.

공화정

태양왕 루이 14세

절대 왕정의 조건

루이 14세는 1638년에 루이 13세의 아들로 태어났다. 다섯 살이 되던 해, 아버지 루이 13세가 세상을 떠나는 바람에 어린 나이로 왕위에 올랐다. 왕후 안 도트리슈가 그를 대신하여 섭정을 맡았는데, 나라 운영을 가톨릭 추기경인 마자랭에게 맡겼다. 마자랭 추기경은 귀족들에게 눌렸던 왕권을 회복하는 데 큰 역할을 하였다. 덕분에 루이 14세는 스물두 살의 나이로 프랑스를 다스리기 시작할 때 절대 군주로서 강력한 왕정을 펼칠 수 있었다.

당시 프랑스는 에스파냐의 무적함대를 격파한 후 식민지에서 거두어들인 막대한 수익으로 유럽에서 가장 부유한 나라였다. 루이 14세는 이러한 경제력을 바탕으로 파리 교외에 새 궁전을 지었는데, 이것이 바로 사치와 향락으로 유명한 베르사유 궁전이다.

베르사유 궁전의 예배당. 베르사유 궁전이 얼마나 화려한 궁전인지 짐작할 수 있다.

파국의 순서

절대적인 권력을 손에 쥔 루이 14세는 피레네 산맥과 알프스 산맥, 그리고 라인 강을 하느님이 정해 준 프랑스의 국경이라고 선언했다. '자연 국경설'을 앞세운 루이 14세는 자신의 재위 기간의 약 절반을 영토 확장을 위한 전쟁으로 보냈다. 하지만 시간이 지날수록 루이 14세의 잦은 침략 전쟁은 오히려 프랑스의 국력을 약화시켰으며, 결국에는 그가 처음 나라를 다스렸던 때의 영토로 줄어들었다. 대신 프랑스는 산더미 같은 빚만 지게 되었다.

프랑스 절대 왕정의 상징인 루이 14세. 그는 '짐은 곧 국가다.'라는 말을 할 정도로 강력한 왕권을 행사했다.

화려한 베르사유 궁전 밖에서는 국민들이 거지로 전락해 굶어 죽거나 전염병에 걸려 죽기 일쑤였다. 당시 프랑스인의 평균 수명이 25세 이하였을 정도로 일반 국민의 삶은 고통스러웠다. 한편 루이 14세는 종교를 로마 가톨릭으로 통일하는 것이 절대 왕정에 유리하다고 판단해, 1685년에는 낭트 칙령을 폐지했다. 프랑스 내 개신교를 보호하는 낭트 칙령이 폐지되자 프랑스의 개신교도 수십만 명은 탄압을 피해 네덜란드와 영국으로 망명했다. 당시 프랑스의 개신교도들은 대부분 숙련된 상공업 기술자였기에 프랑스의 수공업은 마비될 지경이 되었다.

희소식이 되어 버린 죽음

루이 14세는 죽기 전에 무리하게 전쟁을 수행하여 경제를 파탄시킨 것을 후회했다고 전한다. 그래서 후계자인 루이 15세에게 '너는 이웃 나라와 싸우지 말고 평화를 유지하도록 힘써라.'라는 유언을 남기기도 했다. 1715년 루이 14세가 세상을 떠났다는 소식은 프랑스 국민에게는 희소식이었다. 프랑스 국민들은 해방을 주신 하느님 앞에 감사하며 기뻐했다고 한다. 왕에 대한 이러한 불만들은 훗날 프랑스 대혁명을 일으키는 중요한 단초가 되었다.

제9장 좋은 정부는 인구수로 결정된다

8장에서 말했다시피 정부의 형태는 나라마다 달라.

민주 정치
군주 정치
귀족 정치

그런데 정부의 차이를 막론하고 한 가지 공통점을 찾을 수 있는데

정부는 국민이 낸 세금으로 유지된다는 점이야.

세금

그리고 하나 더. 공직에 있는 사람들은 소비만 하고 생산은 하지 않는다는 점도 있지.

당신들은 왜 직접 만들지 않고 우리가 만든 걸 소비만 하는 거요?

그러니 공무원들이 소비하는 물건은 구성원들의 노동으로 생겨나는 것이고

하지만 우리는 국민들의 편안한 삶을 위해 행정, 관리 등의 일을 하잖아요.

공공의 필수품을 제공해 주는 것은 구성원들의 잉여 생산물이지.

그런데 이 생산물의 양은 나라마다 달라.

기후, 토지의 비옥함의 정도, 노동, 주민의 체험 등 여러 조건에 좌우되기 마련이거든.

그 몸으로 일을 할 수 있겠어?

또한 중요한 것은 각 정부에 똑같은 잉여 생산물이 주어져도

정부마다 소비량에 차이가 있다는 점이야.

아직도 이렇게 많이 남은 거야?

이렇게 세금은 민생에 직접 부담이 되는 중요한 문제란다.

세금

그러니 세금이 제대로 걷히는지

밀린 세금을 내세요.

잘 부과되고 있는지, 제대로 쓰이고 있는지

쿵쾅 쿵쾅

납세자들에게 적절한 혜택이 돌아가고 있는지 등을 잘 따져 봐야 해.

우리가 낸 세금으로 길이 닦였네.

세금은 국가라는 몸통을 돌고 있는 혈액과 같아서

순환이 잘되어야 국가가 건강하고 국민도 잘살 수 있는 거란다.

루소는 세금 부담을 측정하려면 단순히 그 액수만을 문제 삼을 것이 아니라

이걸 세금이라고 낸 거야?

세금이 납세자의 손으로 다시 돌아가는 과정을 살펴봐야 한다고 했어.

고맙습니다!

이 순환이 신속하게 잘 이루어지면 재정이 순조롭고 국민이 풍요롭게 살 수 있지.

그렇게만 된다면 세금의 많고 적음은 큰 문제가 안 돼.

그러나 국민이 아무리 세금을 적게 내도

왜 이렇게 조금이야….

세금을 낸 만큼 국민에게 돌아가지 않는다면

세금을 적게 냈으니 암것도 못해 줘!

국민은 세금만 계속 내는 꼴이므로 결국은 가난해지고 말아.

쌀이 떨어졌다.

국가는 국가대로 어딘가 돈이 새는 곳이 있다는 거니까 마찬가지로 가난해지고.

국민과 정부의 거리가 멀면 멀수록

아~ 가까이 하기엔 너무 먼 당신~

아. 나의 사랑 로미오….

세금의 순환 구조는 복잡해지고

으~ 어지러워…

국민들이 느끼는 조세 부담도 커져.

국가는 우리에게 해 주는 것도 없이 세금만 걷어 가!

내 말이! 힘들어서 못살겠어!

앞에서 말한 대로라면 국민과 정부의 거리가 가까운 민주 정치 체제에서 세금 부담이 가장 가볍고

세금을 배로 올리도록!

군주 정치하에서 부담이 가장 크겠지.

예… 예…

귀족 정치는 그 중간일 거야.

귀족정치

그래서 루소는 군주 정치는 부유한 나라에 알맞고

민주 정치는 작고 가난한 나라에

우리는 민주 정치를….

귀족 정치는 그 중간 나라에 알맞다고 주장했어.

우리는 귀족 정치를.

아하하… 자자 다음으로…

어딘가 좀 억지스러운 데가 있긴 하지만 일단은 그렇다고 치고.

루소는 기후로 정부 형태를 구분하기도 해.

이건 이쪽으로

요건 이쪽!

군주 정치는 더운 나라에.

이곳은 더운 곳이니까 군주 정치를….

야만주의는 추운 나라에

여기는 추우니까 야만주의!

으~~ 너무 춥다!

중간 정치는 온대 지방에 맞다고 봤어.

덥지도 춥지도 않은 이곳은 귀족 정치에 알맞지.

왜 그럴까? 루소의 논리를 보면 이는 곡물 생산량과 밀접한 관계가 있어.

이쪽은 너무 적고 이쪽은 넘쳐나네.

추운 지방의 땅은 대개 불모지여서 생산량이 형편없지.

땅이 얼어서 농사를 지을 수가 없네.

경작되지 않은 채로 남아 있기 쉽고 말이야.

이런 환경에서는 문명 수준이 낮은 미개인들만이 살게 되니 어떤 정치 조직도 불가능해.

아w 냄새… 좀 씻고다녀!

그냥 야만의 땅으로 남게 되는 거지.

휘이이잉…

반면에 적당한 잉여 생산량이 나오는 온대 지방의 땅에서는 보통의 자유민이 살기에 알맞아.

그러면 더운 지방은 어떨까?

으~ 더워….

더운 나라는 땅이 비옥해서 노동에 비해 생산량이 많은 편이지.

일하지 않아도 먹을 게 많이 열리는구나. 하하하….

군주는 사치를 부리기 위해 잉여 생산을 많이 필요로 하기 때문에 생산량이 많은 더운 나라가 군주 정치에 맞는다는 거야.

왕에게 많이 줘도 남았다.

더 많이 바쳐라!

기후에 따라 생산량이 달라지므로 그에 적합한 정부 형태가 결정된다는 루소의 주장은 물론 타당한 면이 있어.

정부 정부 정부

그러나 기후만 놓고 봐선 안 되고 노동, 체력 그리고 소비 관계 등도 함께 고려해야겠지.

루소는 각 나라의 음식 문화와 국민들의 식사량까지 비교해.

인구가 같더라도 남쪽 지방은 북쪽에 비해 음식 소비가 훨씬 적어.

그거 먹고 어떻게 사냐?

적도에 가까울수록 사람들이 적게 먹는데

많이 먹으면 몸이 둔해져서 빨리 움직이기 힘들어…

그들은 육식을 거의 안 하고 쌀이나 옥수수 같은 곡물을 주로 먹어.

열 명이 먹어도 배부르겠다!

루소는 더운 곳과 추운 곳은 음식의 맛도 다르다고 했어.

더운 곳의 음식이 영양분도 훨씬 많고 맛도 좋지.

흠~ 맛있다!

이탈리아의 채소는 양분도 많고 맛도 뛰어나지만 프랑스 채소는 식탁에서 거의 대접을 못 받지.

이거 뭐야! 사람 초대해 놓고는 온통 풀밭이잖아!

나는 식탁 위에 있는 건 뭐든 다 깍듯하게 대접하는데…

앵 아 맛있겠다!

음식 얘기를 계속했더니 드디어 배에서 신호가 오네.

사다 논 라면이….

꼬르륵 추가

금강산도 식후경이라고… 얼른 가서 출출한 배를 채우고 다시 올게.

I'll be back. 시선 고정!

옷도 음식과 비슷해서 계절의 변화가 급격한 곳에서는 단순하고 실용적인 옷이 환영받는데

옷 새로 샀구나.

응. 어울려?

나폴리에 가면 금으로 치장한 옷을 입은 사람들이 양말을 벗은 채 공원을 산책하는 것을 볼 수 있대.

건축 양식도 달라서

아빠 식사하세요~

파리나 런던에서는 따뜻하고 평안한지를 따지지만

집이란 아늑하고 따뜻한 게 제일이지.

남쪽인 마드리드에서는 대문 장식에 공을 들인대.

정작 잠잘 곳은 허름해도 말이야.

이렇게 여건이나 환경은 나라마다 하늘과 땅 차이지.

아니… 어떻게 이렇게 지저분한 곳에서 사는 거야.

루소 말대로 각 나라 사정에 따라 정부가 들어선다고 해 보자.

그럼 과연 정부가 일을 제대로 하고 있는지 어떻게 알 수 있을까?

정부의 형태에 따라 각기 추구하는 바가 다르니까

우리는 군주 정치를 할 거야!

우리는 민주 정치를 원해!

모두 같은 기준에서 판단할 수는 없어.

기준

사회계약론

대체로 군주 국가와 민주 국가는 극과 극을 달리니까.

서로 정반대라고 보면 돼.

군주국과 민주국의 차이점을 알아볼까?

군주국에서는 공공의 평화와 재산의 안전을 중히 여기지.

범죄에 대해서도 처벌 위주의 정책을 펴 엄격한 정부가 좋은 정부로 여겨져.

경제 면에서는 화폐가 유통되는 것에 의의를 두지.

징역 50년!

빵 하나 훔쳤는데 징역 50년이라니 너무하는 거 아냐?

지금부터는 화폐라는 것으로 물건 값을 지불해라!

반면에 민주 국가에서는 개인의 자유와 안전을 소중하게 여겨.

자유 안전

경제 면에서는 모든 국민이 고루 잘살 수 있는 방도를 찾지.

그러나 이러한 것을 일일이 따져서 답을 내릴 수도 있겠지만

군주국 민주국

정확하게 어떤 게 좋다, 나쁘다를 평가하기엔 무리겠지.

군주 민주

또한 기준으로 삼기에도 불충분한 구석이 있어.

군주 민주

으~ 어떤 형태의 정부가 우리에게 이로운 걸까?

너희들 생각은 어때?

어떤 정부든 공통으로 판단할 수 있는 기준이 하나 있는데

그건 바로 인구라는 거야.

인구

정치 조직의 목적이 무엇이겠어?
바로 구성원의 보존과 번영이잖아.

살기 좋은 국가 건설

그렇다면 구성원의 보존과 번영을 나타내는 가장 확실한 것이 뭘까? 그것도 바로 인구야!

다른 점들이 같다고 할 때

누구냐 넌?

그러는 넌 누구냐?

인구가 증가한다면 정부가 일을 잘하고 있다는 걸 의미해.

바글
엄마!
바글
근삼아!
밀지 마!

그런데 인구 문제는 그렇게 단순하게 볼 수 있는 성질의 것이 아니란다.

2세를 몇 명이나 낳을지를 결정하려면

에… 아들 딸 많이 낳고 행복하게…

여러 가지 요소를 고려해야 하거든.

지금은 몸이 약한 상태니 아이는 내년에 갖기로 합시다.

또한 아이를 낳을 생각이 없었는데 낳게 되는 경우도 많이 있지.

오늘날 선진국들의 인구는 점점 줄어들고

저출산이 위험 수위에 다다랐습니다.

한 가정 두 자녀 낳기 운동…

선진국

인도, 중국 등 개발도상국들의 인구는 늘어나는 것을 봐.

사회계약론

또한 아프리카에서는 태어나는 아기만큼 죽는 아기도 많단다.

아들아, 이 못난 아비를 용서하렴.

인구가 늘어나는 나라가 좋은 나라라는 생각은 루소가 살던 18세기에는 맞았을지 몰라도 이제는 더 이상 '참'이 아니야.

여기서 잠깐, 너희들도 알겠지만 최근 우리나라는 출산율이 떨어져서 큰 걱정이야.

출산율

불과 몇십 년 전만 해도

1970

아이 좀 적게 낳으라고 사정을 했지만

아들딸 구별 말고 둘만 낳아 잘 거르자!

지금은 그 반대가 되었어.

계속되는 출산율 저하로 고령화 사회를 눈 앞에 두게 되었습니다!

9 NEWS

왜 그렇게 되었을까? 너희들은 잘 모르지만 아이가 자라서 사람 구실을 하려면

수십 년에 걸친 양육자(부모님)의 헌신과 희생이 필요하단다.

아….

맘마….

아이를 키우는 게 정말 힘들어서 출산을 기피하는 수도 있고

다 큰 애가.

우리도 아이를 갖고 싶지만…

사회가 각박해지고 사는 게 고달파서일 수도 있겠지.

먹고살기가 힘들어서….

좋은 날이 올 거야, 힘내자.

18세기의 루소 생각처럼, 정부가 일을 잘해서 주민들이 태평성대를 누리며 아이를 열심히 낳았다고 해도

먹고살 걱정이 없으니 아이를 많이 낳아도 괜찮고 좋네요.

그 정부가 계속 그 상태를 유지하리라는 보장은 없어.

탱크가 좋아졌어!

좋은 정부가 나쁜 정부로 되는 건 한순간이거든.

세금을 더 올려 받아야겠다! 다들 불만 없지?

국민이 정부의 잘못을 알아차리는 게 쉽지 않아서

음하하.. 난 너무 착해

언제 어떻게 빗나갈지 아무도 몰라.

왜 저렇게 변한 거야?

글쎄 말이야.

정부는 가만히 있는 듯하지만 사실은 주권에 대항하여 끊임없이 노력을 해.

주권 정부 정부

마치 개인 의사가 끊임없이 일반 의지에 역행하는 것처럼 말이야.

나만 편하면 그만이지 다른 사람까지 뭐 하러 신경 써!

정부가 주권을 거스르려고 할수록

국민보단 정부가 우선!

정치 체제는 더욱 나쁘게 바뀌는데

국민을 위한 정치보다는 소수의 기득권자를 위한 정치를 하는 게 최고야.

이는 곧 정부가 타락한다는 얘기지.

독재를 위한 법을 만들자!

정부가 통제를 강화한다면 이미 타락이 시작되었다는 징조야.

지금부터는 화장실 갈 때도 허락을 받고 가라!

헉.

다수에서 소수로,
즉 민주 체제에서 귀족 체제로

다시 귀족 체제에서 왕권으로
바뀌는 식으로 말이야.

다시 왔지롱~

정부가 타락하는 신호가 또 있어.

정부가 법에 따라 통치하지 않고
주권을 강제로 뺏을 때지.

내놔!

이때 사회 계약은
파기되고

시민들은 복종을 강요당해 정부는 폭군이 되지.

내 말이
곧 법이다!

날 위해
일을 해라!

또한 정부 관리들이 함께 행사해야 하는 권한을 각기 개별적으로
행사할 때도 같은 상태가 돼.

꾀 부리지 말고
일햇!

아악

이렇게 되면 관리는 저마다 통치자처럼
행세하게 되고 나라 꼴은 엉망이 되겠지.

흐흐흐… 이곳에선
내가 왕이다!

이런 식으로 정부는 점점 상태가 나빠지게 돼.
정치 체제에 따라 그 나쁜 상태를 가리키는 표현이
달라.

정부

민주 정치가 타락하면 중우
정치가 되고 귀족 정치가
타락하면 과두 정치가 되고

귀족 정치

왕정이
타락하면
폭정이
된단다.

중우 정치는 플라톤과 아리스토텔레스 두 사람이 쓴 책에 나오는 말이야.

이런 정치 체제를 중우 정치라고 합시다.

오~ 좋은 생각이오.

《국가론》과 《정치학》에서 민주제의 타락한 정체를 지칭하며 쓴 말이지.

국가론

정치학

플라톤은 중우 정치를 다수의 폭민에 의한 정치(폭민 정치)로 규정하였고

아리스토텔레스는 다수 빈민의 정치(빈민 정치)라고 규정했어.

빈민 정치!

중우 정치는 특히 대중에 의한 정치를 혐오하는 보수 학자들이

무지한 대중이 이끄는 정치라니…. 쯧쯧쯧!

민주 정치를 경멸하는 뜻에서

시대의 지식인이라는 내가 다 창피하네….

수많은 바보들이 다스리는 정치라고 욕하던 말이야.

바보들의 정치구먼…

과두 정치는 여기서 귀족 정치를 비꼬거나 비판하기 위해 쓰였지만

과두 정치

꼭 나쁜 뜻으로 쓰이는 말은 아니야.

과두 정치

소수가 머리를 맞대고 모든 일을 좌우하는 정치라는 뜻이지.

꼭 이렇게 불편한 자세로 해야 하는거야?

바보들이야….

한 명이 지배하거나

다수가 지배하는 정부가 아니라면 모두 과두 정치라고 볼 수 있어.

플라톤은 법률을 잘 지키는 공정 국가를 귀족제라 하고

귀족제.

법률을 잘 지키지 않는 불공정 국가를 과두제라 하여 구분한 반면에

과두제.

아냐, 아냐.

아리스토텔레스는 과두제를 귀족제의 타락한 정체로 봤지.

귀족제가 타락한 것이 과두제야!

루소는 아리스토텔레스의 시각을 따르고 있는 것이고.

오늘날에는 국가뿐만 아니라 다른 사회 집단에서도 폭넓게 적용되어 널리 쓰이고 있단다.

폭정의 주인공인 폭군은 일반적으로

정당함과 법을 무시하고

폭력으로 통치하는 왕을 가리켜.

그리스인들은 좋은 왕이건 나쁜 왕이건

정당한 자격 없이 왕권을 가로챈 자를 지칭할 때

지금부터는 내가 왕이다! 불만 없지?

예…, 예….

폭군이라 불렀어.

폭군!

루소는 왕권의 찬탈자와 주권의 찬탈자를 구분했는데

왕권
찬탈자

주권
찬탈자

왕권의 찬탈자는 '참주' 라 부르고

참주!

주권의 찬탈자는 '압제자' 라 불렀지

압제자!

참주가 법에 따라 통치하기 위해 법을 어기고 개입한 사람이라면

걱정 마.
법은
지킬게.

쉿!

쿠데타를….

법을
지켜라!

압제자는 법 자체를 무시한 자야.

법?
그게 뭐야?

안들려
안들려..

압제자가 참주보다 더 나쁜 거겠지.

왜 나만
미워하는
거야?

중우 정치건, 과두 정치건, 폭정이건

폭정
과두 정치
중우 정치

일단 정부가 나쁜 짓을 하기 시작하면 망하는 건 시간문제야.

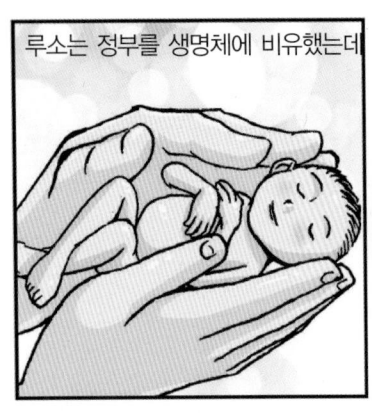

루소는 정부를 생명체에 비유했는데

인간의 육체와 마찬가지로 정치 체제도 태어나면서부터 죽기 시작해.

이런 경향은 자연적이고 불가피해서 피할 수가 없어.

국가 전체를 생명체에 비유한다면

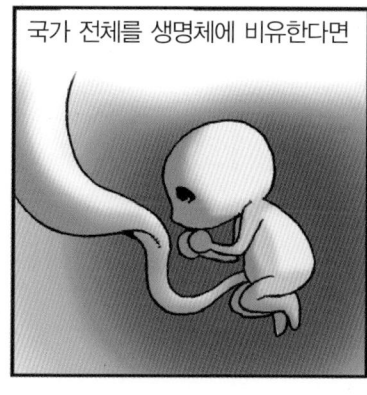

입법론은 심장이고

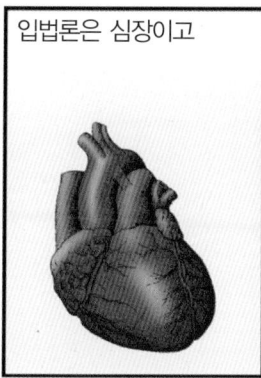

행정권은 다른 모든 부분을 움직이게 하는 뇌야.

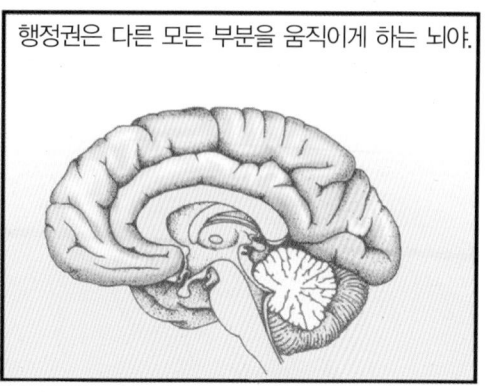

심장과 뇌 중 어느 쪽이 더 중요할까?

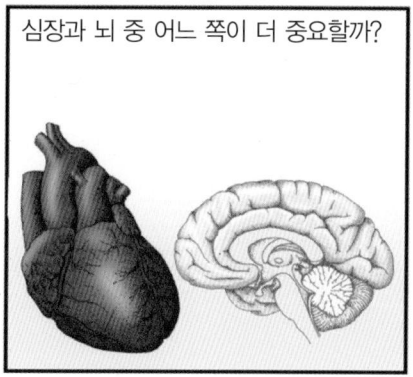

법과 정부 중 어느 쪽이 더 중요할까?

루소의 대답은 명쾌해!

간단 명료하지!

뇌는 마비가 된 뒤에도 숨쉬며 살아갈 순 있지만

심장이 활동을 멈추면 죽잖아!

이렇듯 국가가 존속하는 것은 입법권에 의해서야.

둘 다 중요하지만 더 근본적인 것은 법이라는 거지.

또 다르게 비유하면 입법권은 의지이고 집행권은 힘이지!

착하고 힘도 세면 가장 좋지만 착한 마음과 힘 중 하나를 골라야 한다면

착한 마음이 더 중요하다는 거야.

출산율이 떨어지면 어떻게 될까?

대한민국 인구 증가율은 세계 최저

아래의 표를 보면 오늘날 우리나라의 출산율이 얼마나 낮은가를 알 수 있다. 통계청 자료에 따르면 2005년을 기준으로 우리나라의 출산율은 1.08명이고, 인구 1만 명당 출생아 수는 44명에 불과하다. 또한 UN과 통계청 자료를 보면 2015년까지 한국의 인구 증가율은 2.4퍼센트로 세계에서 가장 낮다.

연도별 합계 출산율 및 출생아 수 추이

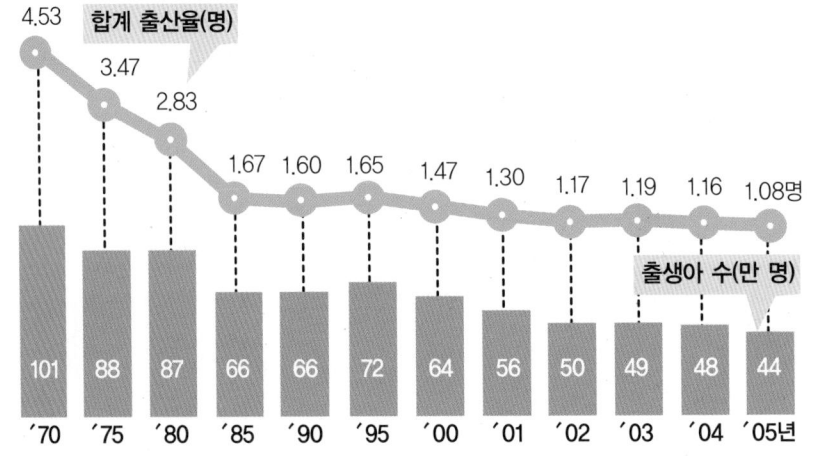

	'70	'75	'80	'85	'90	'95	'00	'01	'02	'03	'04	'05년
합계 출산율(명)	4.53	3.47	2.83	1.67	1.60	1.65	1.47	1.30	1.17	1.19	1.16	1.08명
출생아 수(만 명)	101	88	87	66	66	72	64	56	50	49	48	44

자료/통계청(인구 동태 통계 연보)

그 결과 2007년 12월을 기준으로 전국의 초등학교 세 개 중 한 개가 폐교되었다. 1만 4,452개 초·중·고등학교의 20.8퍼센트에 해당하는 3,016개 학교가 문을 닫았고, 초등학교는 9,174개 중 31.9퍼센트인 2,928개 학교가 문을 닫았다고 한다. 물론 이것은 주로 농어촌 학교에 해당하는 일이긴 하지만 앞으로 수도권에서도 충분히 예상될 수 있는 일이다.

2800년, 인구 0?

이처럼 출산율이 계속 낮아진다면 국가적으로 큰 불행한 사태를 맞게 된다. 출산율 약 1퍼센트의 상황이 지속된다면 2800년 무렵에 가서는 인구가 0이 되어 지구상에서 한국인은 찾아볼 수 없다는 결론에 이를 것이다. 2800년이라는 몇백 년 후를 생각하지 않더라도 가까운 시일 내에 우리나라는 심각한 산업 인력의 부족을 겪게 될 것이며, 생산성은 둔화되고, 소비가 위축되어 경제가 거의 마비될지도 모른다.

그러므로 저출산 문제를 국가적인 차원에서 살펴보고 해결하려는 태도가 무엇보다 시급하다. 출산과 육아를 여성 한 개인 또는 각 가정이 보듬어야 할 문제가 아니라 국가의 미래와 연관지어 바라보며, 이러한 인식 위에서 보육과 교육 등 다양한 제도적 장치를 마련해야 한다. 양육에 대해 사회 전체가 공동으로 관심을 기울이고 이에 마땅한 복지 정책을 세우는 것만이 세계 최저 출산율에서 벗어나는 유일한 길이 될 것이다.

세계 인구 증가율 현황			단위/천 명
국가명	2005	2015	증가율
세계	6,464,750	7,219,431	11.7%
한국	48,138	49,277	2.4%
중국	1,315,844	1,392,980	5.9%
홍콩	7,041	7,764	10.3%
싱가포르	4,326	4,815	11.3%
인도	1,103,371	1,260,366	14.2%
미국	298,213	325,723	9.2%
캐나다	32,268	35,051	8.6%
아일랜드	4,148	4,674	12.7%
프랑스	60,496	62,339	3.0%
네덜란드	16,299	16,812	3.1%
노르웨이	4,620	4,841	4.8%
스웨덴	9,041	9,315	3.0%
영국	59,668	61,417	2.9%
호주	20,155	22,250	10.4%

자료/UN 통계청

제10장 국민이 방심할 때 찾아오는 것들

루소는 국민이 주권을 유지하기 위한 방법을 몇 가지 들고 있어.

우선 국민이 주권자로 행동하려면 다 함께 모일 필요가 있어.

그러나 루소가 살던 시대만 해도 이미 국민을 한 데 모으기는 어려웠지.

물론 2000년 전의 로마에서는 달랐어.

회의가 있으니 모두 광장으로 모이시오!

로마 시민이 모이는 데는 며칠이면 충분했으니까.

대문 열어 놓고 와서 빨리 가야 하는데···.

하긴 로마는 성인 남자에게만 시민권을 부여했으니 모이기가 쉬웠을 거야.

여기가 어디라고 여자들이 기웃거려!

우리가 살고 있는 현대 사회는 어떻지?

아침부터 밤까지 먹고살기 바쁜 현대인들이

늦었다, 늦었어!

나라 일을 의논하기 위해 모일 수 있을까?

정작 모여야 할 사람들은 하나도 없네….

물론 월드컵 경기를 앞두고 광장에 인파가 모이는 경우는 있지만 그야 어디까지나 응원하면서 즐기려고 모이는 거고

국정을 논하는 것은 아무래도 지루한 일이지.

머리 아프게 정치 얘기는 그만 하고 놀러 가자!

좋은 생각!

대통령 선거나 국회의원 선거, 지자체 선거의 낮은 투표율을 봐도 이를 짐작할 수 있지.

야호! 바다다….

루소에 따르면 나라 일을 의논하기 위해 열리는 회의는 고정적이고 정기적이어야 해.

나라 일을 결정하는 데 단 한 번의 결정으로 행할 수는 없기 때문이지.

그리고 회의는 결코 폐지되거나 연기되어선 안 돼.

또한 정해진 날에 법에 따라 정당하게 소집되는 합법적인 회의여야 해.

물론 때로는 비상 회의도 필요하겠지만.

그럼 회의가 열리는 장소는 어떻게 정하는 게 좋을까?

나라 안에는 도시가 있기 마련인데

한 도시에서만 계속 회의가 열린다면

그 도시에 권력이 집중될 것이고 나머지 지역은 별 볼일 없게 되지.

방법은 한 가지뿐이야!

수도를 따로 정하지 않고 도시마다 돌아가면서 회의를 여는 거야.

그렇게 되면 영토 내에 인구도 골고루 분산되고 풍요와 활력도 골고루 나눠지니 금상첨화지.

앞서도 지방 자치제에 대해 잠깐 이야기했지?

지방 자치

서울만 잘나가지 말고 각 지방도 고르게 발전하자는 게 그 취지 아니겠어.

지방에 정부의 힘을 나눠 주고 정치에 참여할 수 있도록 기회를 열어 놓는 거지.

힘을 합쳐 열심히 일해 봅시다.

그러나 우리나라는 아직 지방 자치제가 제대로 뿌리를 내리지 못한 상태여서 아직도 서울과 수도권으로 인구가 몰리고 있어.

먹고살기 힘든데 도시로 갑시다!

그래요.

인구가 몰리니까 자연히 행정과 경제, 문화도 수도권에 집중되지.

나라 은행

시청

오죽하면 서울 공화국이라는 말까지 생겼겠어.

모든 길은 서울로..

서울 시장을 지내면 대통령 자리를 바라보는 게 당연한 순서로 여겨지고 말이야.

이제 대통령 선거에 나갈 차례군!

지방이 어느 정도 자치를 시행하려면

경상남 2KM

지방 정부가 중앙 정부로부터 재정적으로 독립해야 해.

우리도 홀로 서자!

국민이 참여해야 주권이 제대로 행사된다는 루소의 말이 옳기는 하지만

우리도 정치라는 걸 해 봅시다.

현대 사회에서 정치에 직접 참여하기는 사실 쉽지 않아.

일반인은 출입할 수 없습니다.

여건이 안 돼서 못하는 이도 있을 테고

밥 먹을 시간도 없다구!

무관심한 이도 있겠지.

수퍼맨이 왜 저래?

그런데 루소는 국민들이 공공 업무에 무관심하고 자기 일에만 신경 쓰게 되면

국고가 나랑 뭔 상관?

국고

결국 나라가 멸망한다고 단언해.

파산

전쟁터에 나가야 할 때 군대를 고용하여 대신 싸우게 하고

집에서 뭐 하시려고요?

나보다 자네가 훨씬 나을 것 같아서….

회의에 나가야 할 때 대의원을 내보내는 것은 조국을 팔아넘기는 행위라는 거야.

가서 대충 시간 때우다 오라고.

훌륭하게 조직된 국가에서는

개인이 국민 의회에 기꺼이 참여하지만

회의에 늦겠다.

나쁜 정부에서는 국민 의회에 관심은커녕 콧방귀도 안 뀐다고 했지.

이번 주말에 낚시나 하러 갈까?

어디로? 좋지.

그 이유는 일반 의지가 무시당할 것을 알기 때문인데

어차피 우리 말은 듣지도 않을 거야!

맞아!

결국 이렇게 되면 훌륭한 법은 더욱 훌륭한 법을 만들게 하고

나쁜 법은 더욱 나쁜 법을 만드는 결과를 가져오게 돼.

악법

루소는 특히 대표자를 내세우는 사람들을 맹렬히 비판하고 있어.

주권을 포기하는 행위는 자신을 버리는 것과 같소!

대표자를 갖게 되는 순간 국민은 자유를 잃고 존재하지 않게 되기 때문이야.

비켜, 비켜, 내가 가려지잖아!

대의원이든 대표자든 '주권'이 대변될 수는 없어.

주권은 양도될 수 없듯이 대변될 수도 없어!

따라서 대의원은 국민의 대표자도 아니며, 될 수도 없다는 거야.

오직 국민의 심부름꾼에 불과해.

루소에 따르면 고대 공화국이나 왕정 아래서는 국민의 대표자가 따로 없었어.

다들 불만 없지?

예..

예

대표자의 개념은 사악하고 불합리한 봉건 체제로부터 비롯된 근대적인 개념이니까.

루소는 대표자를 통해 주권을 행사한다는 것은 착각이라고 봤어.

'영국 국민은 자유롭다고 생각하지만 그건 착각일 뿐이다. 그들이 자유로운 것은 오직 의회의 대의원을 선출할 때뿐이며

저를 뽑아 주시면 여러분의 심부름꾼이 되어 열심히…

일하겠습니다.

일단 선출이 끝나면 노예가 되고 존재하지 않게 된다.' 라고 신랄하게 비꼬았지.

귀족과 국가를 위해서 쉬지 말고 일해라!

윽! 당선되고 나니까

말이 완전 달라지네….

우리의 경우도 어쩌면 마찬가지가 아닐까? 선거일에만 나라의 주인으로 대접받으면서 말이야.

어떤 이들은 선거에 무관심하고

놀러 오길 잘했네.

또 그런 것을 자랑처럼 여기기도 해.

어제 산에 다녀왔는데 정말 좋더군….

그들은 누가 되든 상관이 없고

선거일을 노는 날로 아는 사람이군요!

정치인들은 다 똑같다는 논리를 펴곤 하지.

그 사람이 그 사람인 걸.

그러나 정치에 무관심하다고 해서 문제가 해결되는 것은 아니야.

기권

그의 기권 표는 엉뚱한 세력에 유리하게 작용하기도 하니까.

축 당선!

이런, 뽑혀서는 안 되는 사람이 뽑혔다!

그러니 투표를 통해 정치할 의사를 분명하게 드러낼 필요가 있어.

루소가 일찍이 간파한 대로 사회에 속한 이상

사회

그 누구도 정치에서 자유로울 수는 없거든.

물론 고대인들은 광장에 모여 직접 나라 일을 의논했어.

그리스인들은 대표자를 내세우지 않고

그들이 해야 할 모든 일을 직접 처리했지.

마을에 회관을 지어야겠으니 도와주시오!

나는 벽돌 값을 내겠소!

난 일꾼 열 명을 대겠소!

난 감독을….

그리스의 경우 기후도 온화했고 사회도 지금처럼 각박하지 않았어.

그리고 시민보다 많은 노예들이 온갖 일을 묵묵히 해 주었지.

참으로 우습게도 당시 시민들의 가장 큰 관심사는 자유였단다.

자유….
자유….
오~로지 자유.

루소의 말마따나 자유란 노예가 뒷받침되어야만 누릴 수 있는 걸까?

노예가 노예로 있을 때 비로소 시민이 완전히 자유를 누리니까 말이야.

고대 국가에서는 어린이와 여자들은 시민에 포함되지 못했어.

시민들이 회의에 참석해서 정치 토론을 벌이는 동안 어린이와 여자들도 노예 못지않게 시민들의 수발을 들어야 했지.

옛날 시민들은 정치에 직접 끼어들 수 있을 만큼 한가했다는 소리지

아~~ 심심하다.

그러나 지금은 기후도 좋지 않고

어억! 지구온난화로 빙하가 녹는다!

헉!

광장을 마음대로 사용할 수 없으며

집회는 시의 허가를 받아서 하세요!

야외에서 소리 높여 회의를 할 수도 없어.

으~~ 시끄러워. 전세 냈나?

그리고 무엇보다도 자유보다 생업이 중요한 상황이 되었단다.

먹고살기도 힘든데 정치는 무슨!

루소 말처럼 사람들은 노예가 되거나 자유를 잃는 것보다

주인님 일어나셨어요?

가난을 더 두려워하지.

가난한 것보다야 노예로 살아도 배고프지 않은 게 제일이지!

이 상황은 루소가 살던 때나 지금이나 그대로인 듯해.

사람들은 루소가 그토록 못마땅해하는 대표자를 뽑아서

대표

회의에 내보내고 각자 일에 몰두하지.

이제 우리는 일하러 가자!

......

국민이 바빠서

바쁘다 바빠!

대표자와 정부에 대해 감시를 게을리하게 되면

열심히 일하고 있겠지?

대표자는 국민을 속일 궁리를 하게 되지 않을까?

ㅎㅎㅎ

사실 국민이 일하느라 바쁜 것은 타락해서라기보다는

생존을 위한 어쩔 수 없는 선택일 텐데 말이야.

정말 먹고살기 힘드네.

그런 면에서 국민은 억울해!

그렇다면 정부가 수립되는 과정은 어떨까?

축 정부수립

이것도 사회계약에 의해서 이루어지는 걸까?

실제로 몇몇 이론가들은

정부 수립을 국민과 행정 수반 사이의 계약이라고 주장했는데

루소에 따르면 국가에는 단 하나의 계약이 있을 뿐이야.

바로 사회계약이지!!

정부 수립의 과정은 법의 제정과 법의 집행, 두 단계로 구성돼.

제정 집행

첫 번째 행위인 법의 제정에 의해서 주권자는 정부의 행태를 지시하고

두 번째 행위인 집행에 의해서 국민은

좀 더 왼쪽으로.

정부를 맡은 관리들을 임명해.

임명장

이쯤에서 중간 결론이 나오지.

감사합니다.

감사합니다

정부를 수립하는 행위는 계약이 아니라 법에 의해서라는 것.

정부 수립을 허가하노라!

탕 탕

그리고 행정을 맡은 사람들은

국민의 지배자가 아니라는 것.

나를 믿고 따르라!

국민은 그들을 임명할 수도 있고 퇴임케 할 수도 있다는 것.

물러가라!

관리는 국가가 그들에게 맡긴 일을 함으로써 시민의 의무를 다할 뿐

국민을 위해 열심히 일하자!

그 조건에 대해서 왈가왈부할 권리는 전혀 없다는 것.

하지만 무슨 일이 이렇게 많은 거야. 쉴 수가 없네….

이렇게 네 가지로 표현할 수 있어!

사회계약론

그럼에도 정부가 국민의 주권을 가로챈 사례는 많단다.

지금부터 너희의 주인은 나다!

사실 막강한 권한을 쥐고 있는 정부가

권력

국민들의 평안을 구실 삼아서

국민의 평안과 안녕을 위해

국민의 회의를 방해하는 것은 식은 죽 먹기지.

해산 하라!

루소가 주로 인용하는 로마의 사례는 여기도 등장하는데

welcome to ROMA

고대 로마에는 한때 입법을 담당했던 법전 제정 10인관*이 있었어

안녕하세요? 10인관님.

안녕!

*10인관 – 열 명이라는 뜻의 데켐비리(decemviri)로 불렸다. BC 452년에는 10조의 법을, BC 450년에는 12표법을 제정했다. 전제화될 위험이 있어 BC 449년에 폐지되었다.

이들이 제정한 법령이 열두 개의 표에 기록되어 공시되었는데

법령

나중에 12표법이라고 불렀단다.

12표법

10인관은 1년 기한으로 선출되었음에도

음… 임기를 연장할 수 있는 방법 없을까?

1년을 다시 연장하였지.

1년 더

그리고 나중에는 국민 의회의 집회를 허용하지 않음으로써

우리 10인회의에서 허락하지 않은 집회는 모두 불법 집회다!

아예 종신직으로 만들려고 시도한 적도 있어.

죽을 때까지 할 수 있도록 법을 고치자… 아흐 좋아라….

비단 10인관만이 아니야.

루소에 따르면 역사상 세계의 모든 정부가 공적인 힘을 위임받자마자 돌변해.

우리 말을 듣지 않으면 곤란하지 흐흐흐..

정부

위임장

국민을 위한 정부가 아니구나….

그러니 앞에서 말했던 정기적인 국민 의회야말로

오는 일요일 의회가 있으니 빠짐없이 참석 바랍니다.

이러한 불행을 막는 데 효과적이지.

참석 요망!

일시 : 오는 일요일
장소 : 중앙 광장
참가비 : 없음.
　　　　도시락 지참

그럼 국민 의회는 어떻게 진행되어야 할까?

자, 자, 이제 집회를 시작할 테니 모두 정숙해 주시오

국민 의회는 오직 사회계약의 유지만을 목표로 삼아야 해.

사회계약에 근거해서 오늘의 안건을 발표하겠습니다.

그리고 언제나 두 가지 제안으로 진행되어야 하는데

우선은 두 가지 제안으로

각각의 제안을 분리해서

뜸 들이지 말고 말해 보시오!

표결에 붙여야 해. 그 내용이 무엇이냐면

에…알겠소. 일단 물 한 잔만 마시고..

첫째, 주권자는 현 정부의 형태를 존속시킬 것을 원하는가?

둘째, 국민은 행정을 현재 위임받은 자들에게 그대로 맡길 것을 원하는가?

루소가 여기서 전제하고 있는 것은

국가의 법은 원칙적으로 언제든지 취소될 수 있다는 거야.

국민을 위한 법이 아닌 건 필요 없어!

더 나아가서는 사회계약도 무효화될 수 있다며 가능성을 열어 놓고 있어.

물론 사회계약도 예외일 순 없지!

왜냐하면 시민들이 만장일치로 사회계약을 취소하기 위해 모였다면

파기하라! 파기하라! 사회계약을 파기하라!

당연히 그리 되어야 하기 때문이지. 그로티우스는 한술 더 떠서 각 개인은 자기가 속한 국가를 포기할 수도 있고

그것 역시 개개인의 자유 의사니까!

나라 밖으로 나감으로써

이 땅을 벗어나서

자연적 자유와 재산을 다시 찾을 수 있다고도 했어.

새로운 곳에서 열심히 살아 봐야지.

참으로 어려운 일이기는 하지만 불가능한 건 아니라고 봐!

하지만 자신의 의무를 피하기 위해

군대 가기 무섭고 싫은데… 안 갈 수 있는 방법이 없을까?

또는 조국에 대한 봉사를 회피하기 위해 떠나는 것이라면

다른 나라에 가서 살자!

참으로 부끄러운 일이겠지.

왜 이렇게 뒤통수가 따갑냐….

누가 뒤에 있나?

루소는 사회계약에 의해 하나로 결합된 사람들은 일반 의지만을 가지고 있다고 봐.

일반 의지는 공동의 보존과 복지에 부합하는 의사이고, 국가의 모든 기구는 강력하고 단순하지.

그리고 공동의 이익은 어디서나 명백하게 드러나므로

양식만 있다면 누구나 그것을 인식할 수 있어!

이렇게 통치되는 국가는 최소한의 법률만으로도 충분해.

정치적 술수 따위가 없어도 평화와 단결과 평등의 가치가 흘러넘치지.

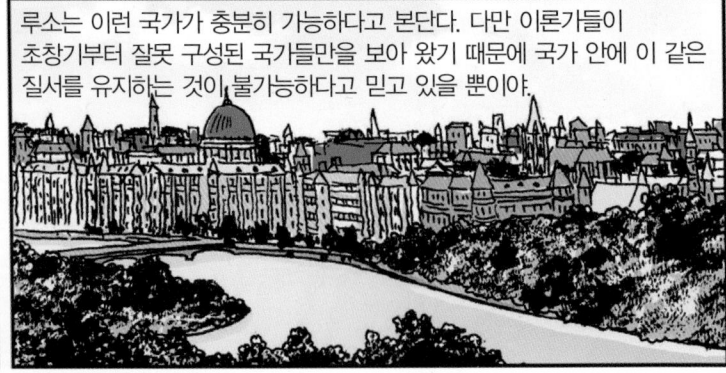

루소는 이런 국가가 충분히 가능하다고 본단다. 다만 이론가들이 초창기부터 잘못 구성된 국가들만을 보아 왔기 때문에 국가 안에 이 같은 질서를 유지하는 것이 불가능하다고 믿고 있을 뿐이야.

물론 사회적 유대가 해이해지고 국가가 약해지면 이와 같은 질서도 무너지게 되지.

노사 협상을 시작합시다.

봉급 인상을 해 주시오!

봉급 인상은 없소!

개별적인 이해관계가 생겨나고 파벌들이 사회에 영향을 미치기 시작하면 공공의 이익은 흐트러지고 갈등이 생겨나게 될 거야.

우리 노동자만 손해를 봐야 한다니 말도 안 됩니다!

회사는 회사 나름 어려움이 있잖소!

당연히 일반 의지는 만인의 의사가 될 수 없을 것이고 더 이상 투표에서 만장일치는 이루어지지 않게 되지.

흥! 더 이상의 협상은 없다!

나라는 아슬아슬한 상태로 망하기 직전의 모습이 되고

….

흔들

흔들

사회적 유대는 사람들의 마음속에서 완전히 자취를 감추며

추악한 이기심이 공공의 이익이라는 성스러운 이름으로 가장하여 설치게 돼.

어! 편하다!

그럴수록 일반 의지는 침묵을 지키게 되지.

전세 냈나? 정말 매너 없네!

사람들은 더 이상 시민으로서의 의견을 진술하지 않게 되겠지.

….

루소에 따르면 일반 의지는 결코 상실되지도 손상되지도 않아.

일반 의지

일반 의지는 영속적이며 변함이 없고 순수해. 다만 더욱 강력한 다른 의사들에 잠시 종속되었을 뿐이야.

로마 최초의 성문법 '12표법'

평민의 힘으로 법을 성문화하다

로마 시민들의 신분은 초기에 귀족과 평민으로 구분되어 있었다. 귀족들은 주로 땅을 많이 소유한 대지주들로서 평민들 위에 군림했다. 경제력이 취약한 평민들은 자신의 자유를 포기하고 귀족들에게 몸을 의탁하여 여러 가지 일을 해 주고, 대신 생계와 안전을 보장받는 관계를 스스로 맺었다. 하지만 이들 중 빚에 쪼들리다가 아예 노예 신분으로 전락하는 경우도 많았다.

이런 일이 반복되자 평민들은 귀족들에게 큰 불만을 갖게 되었다. 평민들은 가장 강력한 저항의 방법으로 아예 로마에서 나가 자신들끼리 사는 다른 도시를 만들겠다고 귀족들을 압박하였고, 실제로 기원전 494년 로마 시에서 철수하여 아벤티누스 언덕을 점거하고 그곳에 도시를 세우겠다고 투쟁했다.

당시 로마 군대의 주력 세력이던 보병들은 대부분 평민들이었으므로, 평민들이 없는 로마는 군사적으로 취약하여 외세의 침략에 대비할 수 없고 또 활발한 정복 전쟁을 할 수 없음을 귀족들은 잘 알았다. 귀족들은 일시적으로나마 평민들의 요구를 수용할 수밖에 없었다. 그 첫 출발이 바로 12표법이었다. 당시 로마의 법체계는 성문법이 아

아벤티누스 언덕에는 달과 사냥의 여신 아르테미스 신전의 흔적이 남아 있다.

니라 불문법이었다. 그러므로 귀족과 평민들 사이에 갈등이 생기면 로마의 법은 귀족들 편에 설 수밖에 없었고 평민들은 항상 피해자로 남았다. 그래서 평민들은 먼저 법의 내용을 확실하게 정하고 이를 문서로 만들어서 공포하기를 원했다.

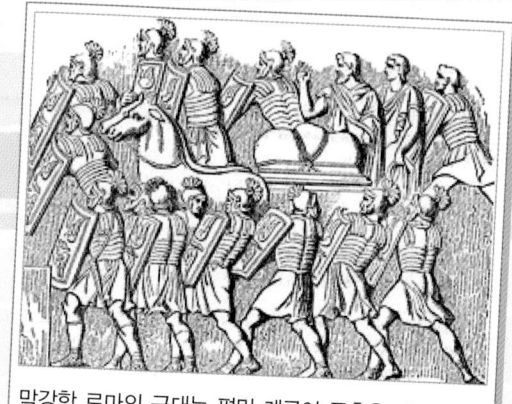
막강한 로마의 군대는 평민 계급이 주축을 이루었다.

반쪽짜리 평등법

나중에 12표법이라고 불리는 로마 최초의 성문법은 10인관이라 불리는 열 명의 법률가들에 의해 제정되었다. 이들이 만든 법안은 로마의 국법이 되었고, 이 기본법을 영구히 보존하고 모든 사람들 앞에 공표한다는 뜻으로 12개의 표에 새겨 광장에 세웠다. 물론 12표법은 평민들의 이익을 대변하는 법은 아니었고, 결코 구습을 개혁하거나 자유롭게 만든 것이 아니었다. 12표법은 귀족 계급 및 가부장의 특권, 채무를 변제하지 못한 경우 노예로 되는 것, 민사에 종교적 관습이 개입하는 것 등을 인정했으므로 오히려 귀족들에게 유리했다. 그러나 성문법이 만들어짐으로써 귀족들은 자신들 입맛대로 일을 처리할 수 없었고, 비록 귀족들에게 유리한 법이긴 했지만 공정한 법률의 집행에 따라 일이 진행되는 것 자체로 평민들은 이전보다 많은 보호를 받을 수 있었다.

12표법을 얻어낸 평민들은 자신들에게 유리한 실질적인 법을 더 원했다. 귀족들도 평민들의 지지가 필요했으므로 조금씩 양보를 했다. 기원전 376년 평민들은 집정관 중 한 명을 평민층에서 선출할 수 있다는 리키니우스 법을 통과시켰고, 그 후 차례로 감찰관, 법무관, 신관 등을 평민층에서 선출할 수 있는 권리를 얻었다. 더욱이 그동안 생각할 수도 없었던 귀족과 평민 사이의 결혼도 법적으로 보장받았다. 로마가 한때 세계 최강의 대제국을 건설할 수 있었던 바탕에는 이러한 법의 발전이 있었던 것이다.

제11장 우리가 독재자를 원하는 이유

이번 장에서는 비교적 우리 피부에 와 닿는 주제를 논해 보도록 하자!

투표나 선거는 너희들이 학교에서 직접 경험해 본 일들이잖아.

그러니 너희들이 보고 듣고 느꼈던 것들과 비교해 보면서 생각해 보자!

투표나 선거가 늘 있는 건 아니지만

다가오는 대선에는 빠짐없이 투표에 참여하여 소중한 한 표를 행사합시다.

가끔 있는 그 일이 우리 생활에 많은 영향을 미치지

우리의 대표는 우리 손으로 뽑아야 살기 좋은 나라가 되지 않겠니?

언젠가는 초등학교 임원 선거가 너무 과열되어 있다고 보도된 적도 있잖아.

그러한 이유로 어린 동심에 멍이 들고 있다고 합니다.

학급 회의에서 투표를 종종 해 봤을 거야.

한 번쯤은 기권도 해 봤을 거고.

난, 기권!

그런데 혹시라도 어떤 안건이 만장일치로 결정된 적이 있었어?

찬성!

찬성!

찬성!

지금까지 《사회계약론》을 죽~ 훑어봤으니

사회계약론

만장일치라는 것이 얼마나 의미 심장한 말인지 알겠지?

만장일치

이제부터는 투표를 할 때도 너희 반의 일반 의지에 대해 한 번쯤 생각해 보겠지?

이렇듯 일반 의지라는 건 우리 인간과 밀접하게 연관되어 있어!

그리고 학급 회의에서 토의되는 안건들이나

안건은 대청소입니다!

투표 결과가 과연 일반 의지에 부합되는 건지 고민도 할 거야.

대청소를 해야 하는 이유는 우리 학급원들의 건강을 위해서입니다!

공적인 일에서는 만장일치에 접근할수록 일반 의지에 가까워진단다.

맞습니다! 우리 모두 힘을 합쳐 깨끗한 환경을 만듭시다!

옳소!

로마 평민회에서도 의결을 할 때면

찬성하시는 분은 조용히 손을 들어 주십시오!

늘 압도적인 절대 다수의 찬성으로 결정되었어

찬성

찬성

찬성

시민들이 단 하나의 이익, 즉 공익을 추구했기 때문에 의견이 하나로 잘 수렴될 수 있었던 거지.

만장일치로 오늘의 회의를 마칩니다!

짝

짝

짝

앞서 말한 만장일치와 반대되는 경우도 있는데

반 대

만약 힘이 센 누군가가 뒤에서 반대표를 던지면 가만 안 두겠다는 식으로 으름장을 놓고 있다면

지켜보겠엇!

맘 편히 반대 표를 던질 수 있을까?

음… 나는… 못할 거 같아.

무섭잖아…. 하하하.

이처럼 공포나 두려움에 토의도 못하고 자기 의사대로 투표할 수 없는 경우도 분명 있어.

그땐 결과가 만장일치로 나와도 진짜 결과가 아닌 거지.

웃어! 웃어!

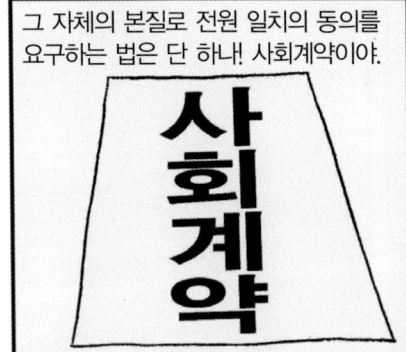

그 자체의 본질로 전원 일치의 동의를 요구하는 법은 단 하나! 사회계약이야.

사 회 계 약

사회계약이 맺어질 때 반대자가 있다면 계약은 무효화되는 게 아니라 반대자들이 공동체에 속하지 않으면 돼.

우리는 아웃사이더가 좋아!

공 동 체

그런 면에선 나라도 마찬가지야.

국가가 구성되었을 때 그 안에 거주함으로써 동의한 게 되는 거니까

그 지역 안에 산다는 것은 주권에 복종한다는 의미야.

주 권

물론 이것은 자유 국가에만 한정되는 이야기야.

그러니 결론적으로 이 원초적인 계약인 사회계약을 제외하고는

사회계약

절대 다수의 의견이 다른 소수의 의견을 지배하지.

우리 모두 고무줄 놀이 하기로 결정했어!

난 게임 하고 싶은데.

이것은 계약의 결과이기도 해.

신데렐라는 어려서..

웃! 창피해.

누구 보는 사람 없겠지?

하나의 법이 제안되었을 때 결정할 것은

격일로 쉴 수 있도록 법을 고칩시다!

그것이 일반 의지에 합치되느냐 아니냐 하는 거야.

말도 안 되는 소리!

왜 안 돼!

각자는 자신의 표를 던져 그에 대한 의견을 말하고

모두 정숙해 주시고 투표로 결정합시다!

표를 계산해 일반 의지가 선언되지.

찬성 3표 반대 97표로 오늘의 안건이 부결 되었습니다!

그러니 자기 의견과 반대되는 것이 이겼다면

반대 3표

그건 자기 생각이 잘못되었음을 말해 주는 거야.

자신이 일반 의지라고 믿었던 것이 사실 일반 의지가 아니었음이 증명되는 거지.

다수가 인정하지 않는 것은 일반 의지가 아니야. 쉬운 말로 다수결 원칙과 같다고 보면 돼!

학급 회의에서도 너희의 의견이 다수의 의견과 달랐던 경험이 있을 거야.

소신껏 자기 의사대로 투표한 사람도 있을 거고

누가 뭐래도 반장은 내가 되어야 해!

분위기를 살핀 후 슬쩍 마음을 바꾼 사람도 있을 거야

다들 재원이를 찍는 거 같으니 나도….

그러나 루소에 따르면 일반 의지인지 아닌지의 여부는 어디까지나 투표 결과로 나타난다는군.

재원 : 正 正 正 正 下 -23

석찬 : 正 正 正 下 - 18

지영 : 正 正 ㅜ   - 11

그러면서도 루소는 지나친 토론은 좋지 않다고 생각했어. 긴 토론과 분열, 소란은 나라를 망친다고 보았지.

토론이 길어지면 몸과 마음이 지치게 되고, 분란이 일면 싸움이 되고

그렇게 되면 나라의 힘이 약해지고 어려움을 겪게 되면 나라가 망하는 거야.

로마의 예를 보면, 국민 의회에서 귀족과 평민이 늘 편을 갈라서 싸우는 통에 국력이 약해졌다는 거야.

먹고살기도 바쁜데 왜 매일 모여서 말싸움만 할까?

시끌

시끌

그러게 말야!

어떠한 경우가 되었든 만장일치가 필요한 것은 오직 최초의 사회계약뿐이니까

사회계약

어떤 일을 정하든 적당한 토의를 거친 다음 다수결의 원칙을 사용할 것을 권하고 있어.

찬성 15, 반대 2로 가결되었습니다.

물론 어떤 경우든 사람들은 자기 입장만 생각하지 말고

짝짝 짝짝 짝

무엇이 일반 의지일까 고민해서 결정을 내려야 해.

찬성

토의가 중요하고 신중할수록 투표 결과는 만장일치에 가까워야 해.

또한 위급하고 시간을 다투는 문제라면

나 페이디피데스*, 여기서 쓰러질 순 없다!

한 표라도 많은 쪽이 선택돼야 해.

winner

*페이디피데스 – 제2차 페르시아 전쟁 때 마라톤 전장에서 아테네까지 약 40킬로미터를 달려 승첩을 알리고 절명한 그리스 용사로, 이를 기념하기 위해 마라톤 경기가 생겼다.

첫째 기준은 법률을 제정한다든지 중대한 안건을 결정할 때 적용하고

오늘의 안건은

만장일치로 가결되었습니다!

둘째 기준은 돌발 상황을 처리할 때 적용하면 돼.

대통령 탄핵안이

부결되었음을 알려 드립니다!

어쨌든 이 양자가 조화를 이루어야 다수결을 인정할 수 있는 시스템이 갖춰져.

다수결

환상의 결과지.

Perfect!

무슨 말인지 정말 어렵지? 사실은 나도 어렵단다! 쑥스….

지금까지 안건을 토의하고 결정하기 위한 투표에 대해 알아봤으니

투표

이제부터는 나라에서 군주와 관리를 뽑는 선거에 대해 알아보자!

Let`s Go!

선거는 선출과 추첨의 두 가지 방법으로 실행돼.

물론 혼합식도 있지만.

참고로 한 가지 알아 둘 것은 선거는 주권의 기능이 아니라 행정의 기능에 관계된다는 거야.

그럼 선출과 추첨 중 어느 쪽이 더 좋은 방법일까?

일단 투표는 추첨 쪽에 점수를 다 주고 있어.

진정한 민주 체제 아래의 관리직은 특권을 누리는 자리가 아니라 무보수의 봉사직이야.

힘은 들지만 보람된 하루구나.

그러니 어떤 특정인에게 떠맡긴다는 것은 정당하지 않고

추첨으로 정하는 게 맞겠지. 당첨 확률이 모두 같으니

모두 같은 조건에 있는 것이고 편파성 시비에서 벗어날 수 있겠지.

나몰라 씨가 당선되었습니다!

몽테스키외도 '추첨에 의한 선거는 민주주의의 본질에 속한다.'라고 했다지.

무슨 말인지 알지?

하지만 추첨이 모두에게 좋은 결과를 가져다 주는 건 아냐.

자리에 따라 선출 방법을 다르게 써야
할 때도 있어.

일반직은 추첨으로 하는 게
공정하지만

누구를
뽑을까요.

알아맞혀
보세요.

특별한 재주를 가진 사람이
필요하면 선출 방식이 좋아.

키가 크니까
반 대표 농구선수가
되어 줘.

양식, 공정성, 청렴만으로도 충분한
자리라면 추첨으로 뽑는 게 적합하지.

운동회에서 너희 반을 대표하는
달리기 선수를 뽑는다면

추첨이 나을까?
선출이 나을까?

달리기 선수를 뽑아야
겠는데 누가 좋을까?

추첨으로 한다면 공정할지는 몰라도 좋은
성적을 기대할 수는 없겠지.

제일 못 달리는 친구가
뽑혔네…

이럴 때는 무조건 잘 뛰는 사람을
내보내는 게 현명해.

내가 달렸어야
하는데….

이 경우엔
선출하는 방법이
더 좋은 거지.

그러나 추첨도 선출도 모두
소용 없는 경우가 있어.

바로 왕이 자기 맘대로 뽑는 경우지.

왕은 유일한 통치자로서 자기 맘대로
일꾼을 뽑겠지.

측근은 전부
형제구만.

인사가 만사라는 말이 있는데

人事 = 萬事

세상을 움직이는 것은 사람이고 세상에서 가장 중요한 자원도 사람이라는 뜻이야.

공자 왈, 맹자 왈.

인재 관리가 조직의 성패를 좌우한다는 뜻이지.

공부를 게을리 하지 말거라!

예….

그만큼 인사권이 통치자에게 중요한 권한이라는 얘기야.

열심히 일하지 않으면 해고야!

인사권

그럼 이렇게 투표와 선거로 엄정하게 법을 집행해 나간다면 모든 게 해결될까?

법 자체에는 아무 문제도 없는 걸까?

답은 그렇지 않다는 거야.

다리가 너무 아프네. 앉아서 얘기하자!

법도 때로는 사회에 별 도움이 안 될 때가 있어!

한 가지 쉬운 예를 들어 볼게.

분초를 다투는 급한 사안이 있는데 법 규정대로 절차에 맞춰 진행하다 보면 늦어서 일을 망치는 수가 있지.

적이 코 앞까지 왔어요….

기… 기다려….

최악의 경우에는 법을 지키느라 나라가 망할 수도 있어.

싸워 보지도 못하고 졌네…

상부에서 아직 발포 명령이 안 떨어졌어….

사실 살다 보면 미리 예상치 못한 수많은 경우들이 법률을 벗어나 발생할 수 있거든.

루소는 기본적으로 독재 정치를 반대하는 입장이지만 만약 국가가 심각한 위기에 처해 있다면 법을 잠시 정지시키고 독재를 허용할 수도 있다고 봤어.

계엄령을 선포한다!

국민이 일반 의지에 따라 한 명의 독재자에게 모든 권한을 맡길 수 있다는 거야.

로마와 스파르타에서는 실제로도 있었던 일이지.

그러나 법을 정지시키는 것은 함부로 해서는 안 되고

STOP!

나라의 운명이 왔다 갔다 할 정도의 중대한 사안일 때에 한해야 해.

전쟁이다! 전쟁이 일어났다!

이 같은 경우에 일반 의지는 무엇일까?

전쟁 중엔 승리가 일반 의지일 거야!

물론 국가가 패망해서는 안 된다는 거야.

법도 국가가 존재할 때에야 의미가 있으니까.

그렇다고 해서 법이 아예 폐지되는 것은 결코 아니야.

어느 누구도 법 자체를 대신할 수는 없어.

공화정 시대 로마의 딕타토르란 위기 상황에 대처하여 절대 권력을 행사하는 임시 독재관을 의미했어.

딕타토르(dictator)는 독재를 뜻하는 영어 dictatorship의 어원이 되었지.

비록 한시적인 것이었으나 독재관으로 선출된 사람은 독단으로 결정을 내릴수 있었고

국가 비상령을 선포한다!

아무도 이의를 제기할 수 없었어.

다들 조용히 해.

이 제도는 당시 큰 효과를 발휘해서

로마는 수많은 난관을 거뜬하게 헤쳐 나갈 수 있었어.

독재관의 임기는 6개월인데 대부분은 기한 내에 물러났어.

한 달 보름 만에 쫓겨나는구나.

만약 기한이 더 길었다면 그들은 기한을 연장하려고 시도했을지도 몰라.

임기를 연장할 순 없을까?

영어로 시저라 불리는 로마의 집정관 카이사르는 뛰어난 정치적 수완과 전쟁에서의 승전보로 각종 권력을 쥐게 되었고

그 결과 왕위를 탐낸다는 의심을 받게 되었지.

카이사르를 조심하셔야 합니다!

그는 원로원의 공화정 옹호파에게 암살당했어.

죽기 직전 그가 '브루투스 너마저도…' 라고 읊조린 말은 유명해.

브루투스 너마저….

카이사르가 남긴 유명한 말이 또 있단다.

로마 진격을 앞두고 루비콘 강을 건너기 전에는 이랬지.

주사위는 던져졌다!

한편 소아시아에서 전쟁에 승리를 거두고는 '왔노라, 보았노라, 이겼노라.'의 세 마디로 된 유명한 보고를 원로원에 보내기도 했단다.

로마 공화국은 초기에 이런 독재 방식에 종종 의존했지만

공화국 말기에 이르러서는 이런 독재 방식을 견제했어.

왜냐하면 일단 위급한 상황이 지나면 독재는 폭정이 되거나 무용한 것이 되거든.

그러니 독재는 반드시 일시적이어야 해. 몇 달 정도만 기반을 닦은 뒤

독재자는 다시 국민에게 권력을 내놓는 것이 당연해.

권력

우리나라 국민도 독재 정치의 아픈 기억을 갖고 있지.

1961년 5·16군사 쿠데타로 권력을 쥔 박정희는 대통령 자리에 올랐어.

대통령

그는 나라가 어수선하고 북한과 대치하고 있는 상황이니까

군사 분계선

질서를 잡고 안정을 지키기 위해 자신이 독재를 할 수밖에 없다고 주장했지.

다들 이해해 주길 바라.

그는 유신 헌법을 통해 계속 독재하려 했으나 민주 정치를 열망하는 국민들의 저항에 부딪혔어.

독재정권 물러가라!

물러가라!

결국 1979년 10월 26일 부하의 총에 맞아 죽었지.

각하 좋은 곳으로 가시오!

욱!

탕

같은 해 12월 12일 역시 군사 쿠데타로 집권한 전두환도 마찬가지야.

잘 부탁해.

그는 대통령 자리에 올라서

전두환

국가 안보를 빌미로 독재를 정당화하며

이 위기 상황에 나 아니면 누가 적임자겠어!

전두환

민주화 인사들을 탄압했으나

무슨 얼어 죽을 민주화야. 발 닦고 잠이나 자!

1987년 6월 대통령 직선제를 수용할 수밖에 없었어.

호헌철폐! 호헌철폐!

으… 시끄러

너희들은 그냥 우리나라의 전직 대통령이라고 알고 있겠지만

우리나라 현대사에 군사 독재의 그림자를 드리운 사람들이야.

그 둘은 스스로 물러나지 않았다는 점, 잊지 말도록!

죽거나 쫓겨나다시피 했어!

루소는 또 하나의 명언을 던졌어.

자유는 모든 기후에서 열리는 과일이 아니다.

그러므로 자유는 모든 나라 국민이 받아들일 수 있는 것이 아니다!

이게 대체 무슨 소리야?

자유를 줘도 못 받아들이는 국민이 따로 있다는 말인가?

자유? 그게 뭔데?

바보냐?

하긴 차라리 독재자가 있는 게 낫다고 생각하는 국민이라면

그때가 좋았지.

자유를 줘도 누리지 못하겠지.

뭔지 알아야 구워 먹든 삶아 먹든 하지.

자유 자유

역사를 살펴봐도 공화국 초기에는 독재에 의존한 예가 많아.

독재를 원합니다.

나라의 기반이 약해서 법의 힘만으로는 질서가 지켜지기 어려웠기 때문이야.

현대사에서도 최고 통치자에게 절대 권력을 부여함으로써 위기 상황을 극복한 예는 많아.

독재자들은 풍습을 단속하고 여론을 자기 입맛에 길들이기 위해 검열이라는 무기를 사용하곤 하지.

그러나 검열이 독재자들의 전유물은 아니야.

검열관은 사회에 존재해!

루소에 따르면 일반 의지가 법에 의해 표현되듯이

공공의 심판은 검열을 통해 드러나게 돼.

법이 풍습을 규제하지는 않지만 그 풍습을 만들어 내는 것은 바로 체제야.

그러니 법 체제가 약해지면 풍습도 깨지게 돼!

그때 검열관들은 법의 테두리 안에서 심판을 내리는 거야.

즉 검열이라는 통제는 풍습을 유지하는 것에는 효과적이지만

일단 풍습이 타락한 다음에는 소용없어.

그러니 법 체제가 약해지기 전에 검열의 기준을 확립시켜야 해.

또한 여론에 대한 통제도 필요하지.

그 결과 여론이 타락하는 것을 막을 수도 있고

때로는 불확실한 여론을 고정시켜 풍습을 유지해 나가기도 하지.

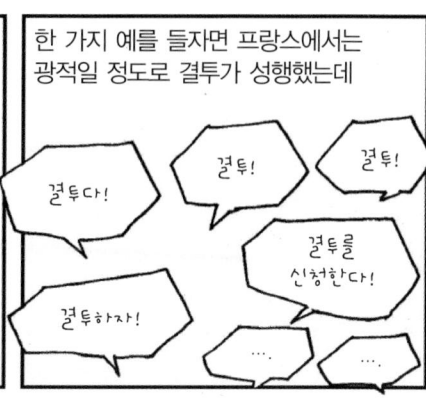

한 가지 예를 들자면 프랑스에서는 광적일 정도로 결투가 성행했는데

결투다!

결투!

결투!

결투를 신청한다!

결투하자!

….

….

결투에는 입회자를 두어야 한다는 판례가 있었지.

결투해야 하는데 입회자는 왜 안 오는 거야?

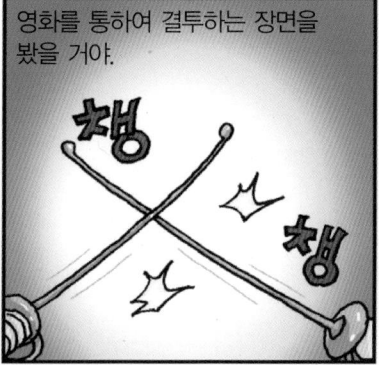

영화를 통하여 결투하는 장면을 봤을 거야.

챙

챙

옛날 유럽 사람들은 툭하면 결투로 문제를 해결했어.

십자군 전쟁 이후에 기사 제도가 정착되면서 결투는 더욱 유행했어.

특히 프랑스는 결투의 천국이라고 할 만했단다.

PARADISE

한 통계에 따르면 1589년 앙리 4세 즉위 이후에만도 일주일에 너덧 명, 한 달이면 18명이 결투를 하다 죽었을 정도야.

이번엔 센 상대였어….

자네도 죽었군….

나중에 결투를 금지하는 강력한 처벌 규정이 생기면서

왕이 허가하지 않은 결투는 불법이다!

프랑스에서는 차츰 줄었지만

대화로 해결합시다!

쌩강

영국, 미국, 아일랜드 등 세계 각국에서는 그 후로도 오랫동안 결투가 성행했단다.

마키아벨리의 《군주론》

강력한 군주를 열망한 이론가

《군주론》은 이탈리아의 정치 이론가였던 마키아벨리가 지은 책이다. 헌사와 본문 26장으로 구성되어 있으며 근대 정치학의 기초를 다진 저술로 평가받고 있다. 마키아벨리가 《군주론》을 쓰게 된 배경에는 이탈리아의 정치적인 불안정을 빨리 극복하고자 하는 욕구가 크게 작용한 것으로 보인다.

당시 마키아벨리의 조국인 이탈리아에는 르네상스라는 거대한 문화적 흐름이 활발하게 일고 있었다. 부유한 상인들의 지원으로 수많은 예술가들이 활동하여 고대 그리스 시대의 찬란했던 인본주의 문명의 영광을 재현해 내고 있었으며, 경제와 문화 양쪽 모두에서 유럽에서 가장 잘나가는 국가로 발돋움하고 있었다. 그러나 정치적인 상황은 아주 좋지 않았다. 이탈리아 반도의 여러 도시 국가들은 사분오열되어 반도 내의 패권을 두고 각축을 벌이고 있었고, 밖으로 프랑스나 에스파냐와 같은 주변 강대국들은 이러한 분열을 틈타 이탈리아로 영토 확장에 열을 올리고 있었기 때문이다. 마키아벨리는 유능하고 현명한 군주를 중심으로 이탈리아 반도가 조속한 통일을 이루어

이탈리아 르네상스를 대표하는 미켈란젤로의 작품 〈천지창조〉.

내길 열망하였고, 그 결과 태어난 것이 《군주론》이었다.

자국의 정치 불안을 회복하고자
《군주론》을 쓴 마키아벨리.

《군주론》에 나온 그의 주장들은 '정치 철학' 이기보다는 오히려 '정치술' 에 가깝다. 그의 주장은 일인 군주제를 옹호하는 홉스와는 거리가 멀었다. 마키아벨리는 군주제가 왜 필요한가를 말하기보다는 어떻게 하면 군주는 자신의 권좌를 지켜 낼 수 있고, 군사적으로 강력한 국가를 건설할 수 있으며, 적국의 공격으로부터 적절히 방어할 수 있을 것인가에 대해서만 말하고 있기 때문이다.

정치는 도덕과 별개다

사람들이 마키아벨리의 이름에서 가장 기억하는 것은 '목적을 위하여 수단을 가리지 않는 권모술수주의' 라는 의미의 '마키아벨리즘(Machiavellism)' 일 것이다. 이 용어는 '목적은 수단을 정당화하기 때문에 목적의 달성을 위해서는 어떠한 방책도 허용된다.' 로 통용되고 있는데, 사실은 의미가 다르다. 마키아벨리 주장의 참뜻은 '정치는 일체의 도덕 · 종교에서 독립된 존재이므로 일정한 정치 목적을 위한 수단이 도덕 · 종교에 반하더라도 목적 달성이라는 결과에 따라서 수단의 반도덕성 · 반종교성은 정당화된다.' 는 것이었다. 당시 군주들이 지나치게 종교적인 도덕성에 얽매여 제대로 된 정치를 하지 못한 것을 보고 이를 수정하기 위해 한 주장이었다.

그러나 마키아벨리의 '현실의 목표를 위해서 때로는 도덕을 잊어버릴 수도 있다.' 는 주장이나, 조국을 위할 때는 선악을 구분할 필요가 없다는 식의 사고는 그 후 많은 사상가들의 비판의 대상이 되기도 했다. 지나친 자기 중심적인 애국주의는 권력자에게 부도덕한 패권주의를 인정해 주는 사상적 토대가 되기도 했기 때문이다.

제12장 시민 종교에 놀란 시민들

자, 이제 드디어 마지막 장에 도착했구나.

고생 많았어.

이번 장은 분량이 적지만 폭발력 만큼은 메가톤 급이야.

비판적 기질이 거침없이 드러나는 대목이기도 하고.

전부 썩었어!

지금까지의 내용도 상당히 급진적인 편이었지만

이 장에 비하면 아무것도 아닐걸.

까울

종교는 정치보다 한층 더 민감한 문젠데

정치

루소는 당시의 종교관을 정면으로 부정하는 주장을 거침없이 펼쳤지.

타종교의 탄압을 중지하라!

이 책이 금서가 되고 루소가 박해를 받게 된 것도 이 때문이야.

천재는 외로워!

자, 한번 살펴보도록 하자.

루소는 《에밀》의 '사부아 보좌신부의 신앙고백'에서 신부를 통해

어떤 종교를 믿든 관용을 베풀어야 한다.

이렇게 주장했어.

우리가 보고 있는 《사회계약론》 4부 8장 '시민 종교에 관하여'의 내용도 사부아 신부의 주장과 거의 비슷해.

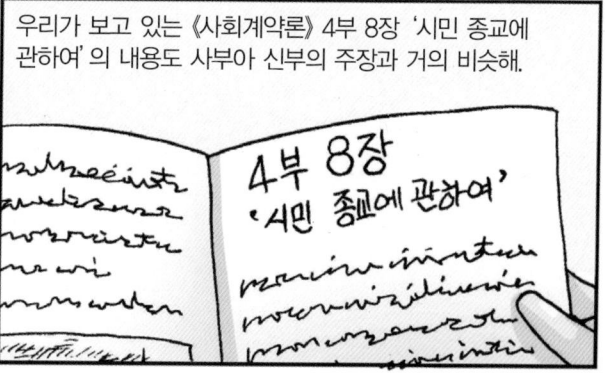

4부 8장 '시민 종교에 관하여'

사람들이 어떤 반응을 보일지 예상했을 텐데도 과감하게 자신의 생각을 드러낸 걸 보면

루소가 배짱이 세긴 센가 봐!

후읍.

루소 자신도 그리스도교 신자였지만 용기를 낸 거야

편협한 믿음은 믿음이 아녀!

서구 사회를 지배하던 그리스도교를 비판하면서

내가 한 말 잊지 마셔!

모든 종교가 인정을 받아야 한다는 얘기를 써 놓았으니 말이야.

그러나 다른 종교에 대해서는 부정적인 시각을 갖고 있는 듯해서 좀 유감이야.

우선 종교에 대한 루소의 설명을 따라가 보자.

옛날 사람들은 신의 지배를 받았어.

신이 사회의 우두머리였지. 왕이 곧 신이고 신이 곧 왕인 이런 정치를 신정이라고 해.

물론 신이 직접 나서서 인간을 통치했다는 게 아니고

난 바빠!

신의 대변인인 사제가 종교적 윤리에 따라 지배했다는 거야.

일들 해!

신이 일하래!

이때는 나라마다 제각기 다른 신을 모셨기 때문에 국가의 수만큼이나 신이 많았어.

구름신

바다신

하늘신

태양신

돌신

나무신

국가가 나뉠 때마다 신이 하나씩 더 생겨났고 말이야.

우리의 신은 개똥으로 정한다!

와~개똥신

이렇게 국가가 분할되면서 다신교가 비롯되었어.

다신교

다신교는 하나의 신앙을 인정하는 일신교와 달리 여러 신을 인정하는 거야.

인정

고대 바빌론 종교나 그리스와 로마의 종교

그리고 초기 힌두교 등이 대표적인 다신교야.

너희들도 알고 있는 신들이 많을걸.

제우스, 아폴론
마르스, 아레스
아프로디...

그리스 · 로마 신화에 나오는 수많은 신들 말이야.

신의 영역이 세분되어 있고 영역별로 담당하는 신이 정해져 있지.

그리스의 신들을 예로 들자면

신들의 나라!

바다의 신 포세이돈,

아름다움과 사랑의 여신 아프로디테,

태양신 아폴론,

그리고 포도주의 신 디오니소스,

우주를 지배하는 최고의 신 제우스 등등 전부 쟁쟁한 신들이지.

적어도 사람들은 이때까지는 종교에 대해 열린 태도를 지녔던 걸로 보여.

어떤 신을 믿든 그건 자유지!

맞아!

고대 로마인들은 점령지의 민족에게 그들 고유의 법률과 신을 인정해주었지.

종교는 관여하지 않는다!

만세!

와~

최고!

짱!

물론 정복자 노릇을 전혀 안 한 건 아니어서 주피터 신(로마 신화의 최고 신)에게

화환을 바칠 것을 요구했지.

로마인들의 이런 개방적인 태도야말로 로마의 융성을 가져온 원동력일 거야.

그러나 미운 짓 하는 사람은 어디에나 꼭 있기 마련이지.

로마의 제3대 황제인 칼리굴라를 기억하는지?

히히히….

국민을 가축이라고 한 그 황제 말이야. 여기서 또다시 등장하네.

나 기억하지?

그는 처음에는 자유주의 정치를 펼쳐서 원로원과 군대, 민중들로부터 고루 환영을 받았어.

짱!

그런데 무슨 연유에선지 점차 자신이 인간 세계에 나온 신이라는 망상에 사로잡혀 자신을 신으로 모시게 했고

난 신이다! 하하!

낭비와 사치와 독재 정치의 광폭한 행동을 일삼다가 결국 암살되고 말았지.

자신을 신으로 착각하는 사람은 칼리굴라만이 아니야.

남들이 자신을 신으로 믿도록 애쓰는 사람들은 지금도 있으니까.

난 신의 아들! 날 믿어라….

그런데 신은 하나뿐이라는 유대인들의 태도는 다른 민족과 마찰을 불러일으켰어.

하늘에 계신 우리 아버지.

흥!

유대인들은 바빌론과 시리아에 정복당하면서도 그들의 신(야훼) 이외에 다른 신을 결코 인정하지 않았어.

세상에 신은 오직 한 분 우리의 하나님뿐!

음….

이는 곧 정복자에 대한 반란으로 여겨졌고

음…. 그냥 둬선 안 되겠군!

유대인들은 엄청난 고생을 하게 돼.

악!

이때 예수가 등장하지.

네 이웃을 사랑하라!

아.

예수는 이스라엘 민족만이 아니라 전 인류를 구원하고

저들의 죄를 사하여 주옵소서.

이 땅 위에 정신적 왕국을 수립하고자 했어.

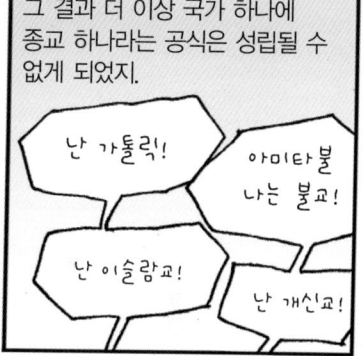

그 결과 더 이상 국가 하나에 종교 하나라는 공식은 성립될 수 없게 되었지.

난 가톨릭!

아미타불 나는 불교!

난 이슬람교!

난 개신교!

종교와 정치는 분리되었고

국가는 종교로 하나가 될 수 없었어.

안녕~

이제 세상이 바뀌어 군주와 사제가 세력을 다투는 시대가 온 거야.

정치와 종교 간의 끊임없는 갈등 탓에 그리스도교 국가에서는 정치가 제대로 이루어질 수 없었어.

~~~

또 싸운다….

못 말려 정말….

국민은 군주와 사제 중 누구에게 복종해야 할지 몰라 망설였지.

왕을 따라야 하는 거야? 아니면 사제를?

낸들 알아.

어쨌든 그리스도교는 유럽 각국에 전파되어

사회의 전 부분에 영향을 끼쳤다고 해도 과언이 아니야.

그러나 똑같이 영향을 받았음에도 영국과 러시아에서는 약간 다른 방식으로 변화가 나타나.

영국은 16세기에 헨리 8세의 이혼 문제를 계기로

합의 이혼
헨리 8세의 이혼을 법적으로 인정한다
헨리 8세 (인)

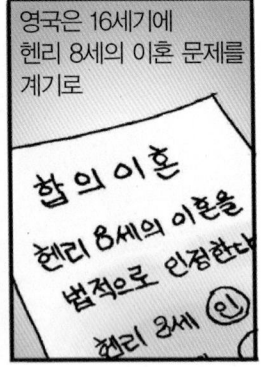

로마 가톨릭교회에서 갈라져 나왔지.

로마

우리 독립할래.

이후 영국 국교회가 성립되었는데

영국의 국왕이 수장이야.

교회는 개신교에 가깝지만 의식에는 가톨릭적인 요소가 많이 남아 있지.

영국 성공회라고도 하고.

성공회

러시아 정교회는 그리스도교의 동방 정교회 가운데 최대 교파야.

러시아 정교회는 15세기에 비잔틴 교회에서 독립했지.

Bye!

영국이나 러시아나 둘 다 왕이 교회의 장을 겸하고 있었는데

루소에 따르면 영국의 왕도 러시아의 황제도

그 나라의 사제들보다는 힘이 약했어.

...

성직자들이 주인이자 입법자이고

NO 2

왕이나 황제는 집행관에 머물렀지.

집행하라!

따라서 영국이나 러시아도 실제로는 다른 곳과 마찬가지로 군주와 사제라는 두 지배자가 있었다고 봐야 해.

BIBLE

반면 이슬람의 경우는

마호메트와 그의 후계자인 칼리프들에 대해서 종교와 정치가 하나가 되는 체제를 훌륭히 유지해 왔어.

이슬람 문화는 번영하여 높은 수준의 기술과 지식을 쌓았지.

지구본

나침반

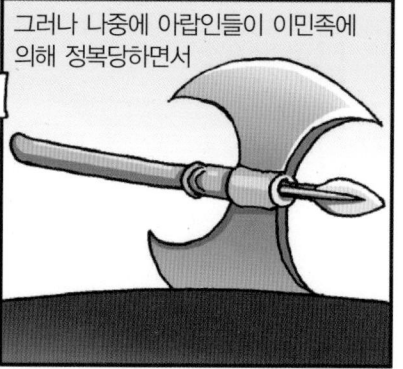

그러나 나중에 아랍인들이 이민족에 의해 정복당하면서

종교와 정치는 분리되었어.

종교

정치

루소는 이제 종교를 크게 두 종류, 인간의 종교와 시민 종교로 구분해서 설명하고 있어.

에~ 크게 두 가지로 나뉘어!

우선 인간의 종교는 최고의 신을 향해 마음속 깊이 우러나오는 헌신과 도덕으로 신앙 생활을 하는 것이고

비나이다 비나이다.

아들 하나만 점지해 주세요!

참된 유신론으로서 복음 세계에 충실하지.

복음서에서 가라는 길만 가야 해.

눈에 보이는 형식적인 것들을 죄다 거부하기 때문에 사원이나 재단이나 의식 같은 것이 없어.

한마디로 순수하고 단순한 종교야.

난 돌신을 믿으니까 저렇게 큰 신전은 필요 없어!

시민 종교는 한 국가에만 해당되는 것으로 앞서 말한 고대의 종교들이 이에 해당되지.

인간의 의무와 권리는 이 종교 테두리 내에만 한정돼.

물론 교리와 의식, 법에 따른 예식이 있고.

예배 시간에 늦어서 입장할 수가 없네….

한편 제3의 종교도 있는데 루소는 이 종교를 사제의 종교라고 불러.

또각 또각

라마교, 일본 종교, 로마 그리스도교의 경우인데

이들은 사회적 통합을 깨트리고 인간을 모순에 빠뜨린다고 했지.

어떤 방패로도 막을 수 있는 창과 어떤 창도 막을 수 있는 방패를 사시오!

이 세 종교는 각기 결함이 있어.

제3의 종교들이 지닌 결함은 너무나 명백하다고 루소는 주장했어.

사제의 종교는 논외야!

시민 종교에는 어떤 결함이 있는 걸까?

시민 종교

나쁜 점이 별로 없을 것 같은데…. 시민 종교에서는 신앙과 조국애가 일치해.

신앙 = 조국애

일종의 신정이어서 국가에 봉사하는 것이 곧 나라를 보호하는 신에 봉사하는 게 되거든.

열심히 일하면

신이 기뻐하실 거야!

대주교나 사제가 따로 없고 군주가 곧 대주교이며

신이 더 열심히 일하래!

관리들이 곧 사제들이지.

거기~ 신이 좀 더 힘 쓰래.

나라를 위해 죽는 건 순교로 여겨지지만

저 도둑을 신의 이름으로 처단하라!

여기잠들다 순교자 ○○○

법을 위반하는 건 신을 믿지 않는 불신앙으로 취급돼.

그러나 이 종교의 나쁜 점은 인간을 미신적 · 폭력적으로 만든다는 거야.

종교 의식이 강조되다 보면 신에 대한 참된 믿음은 빛을 잃고

또한 종교를 국가라는 틀 안에서만 해석하니 배타적 성향을 띠게 되지.

우리 신을 믿지 않는 너희는 우리의 적이다!

배타성이 커지면 그들의 신을 받아들이지 않는 자를 죽이면서도 스스로 성스러운 행동을 했다고 믿게 돼.

옥!

이렇게 되면 종교가 다른 민족들을 적으로 규정하게 되고 전쟁 상태로 돌입하는 거지.

우리의 신을 위해!

공격!

그럼 결국 남은 것은 인간의 종교뿐이네!

인간의 종교

루소가 말한 인간의 종교는, 짐작하겠지만 그리스도교를 가리켜.

BIBLE

*유다의 복음서

그러나 오늘날의 그리스도교가 아니라 복음서의 그리스도교란다.

인간들은 모두 신의 자식들이니 서로를 형제자매로 여기지.

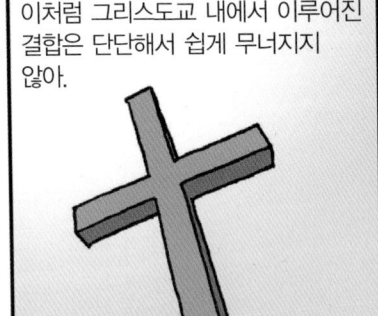

이처럼 그리스도교 내에서 이루어진 결합은 단단해서 쉽게 무너지지 않아.

복음서의 그리스도교는 진실로 성스럽고 고귀하고 참된 종교란다.

그러나 루소가 지적한 이 종교의 결함은 정치 체제와 아무런 관련이 없다 보니 시민들의 마음을 국가에 붙들어 놓기는커녕 오히려 분리시킨다는 거야.

루소는 그리스도교의 정신이 사회 통합에 방해되고 전혀 도움이 되지 않는다고 주장했어.

편협한 사고방식과 믿음은 버려!

루소가 보기에 그리스도교는 전적으로 영적인 종교로 하늘의 일에만 전념하는 종교야.

할렐루야!

교인의 조국이 지상에 있지 않고 하늘에 있으니까.

우리가 갈 곳은 천국뿐!

그러니 현실에서 자신의 의무를 다하긴 하지만

기도가 끝났으니 일하러 가야지!

결과에 대해서는 별로 관심이 없겠지.

할렐루야

자신이 회개할 일이 없다면 지상의 일들은 관심 밖인 거지.

중요한 것은 천국에 가는 것이니까.

교인들은 전쟁이 일어나도 싸움터에 나가서 싸우기는 하지만

승리하겠다는 열정은 없어.

죽는 건 무섭지 않아! 천국에 갈 수 있으니.

왜냐하면 모든 것을 신의 섭리에 맡겨 버리거든.

하나님이 지켜 주실 거야!

또한 그리스도교는 교인들에게 지배자에 대한 굴종과 예속을 가르쳐.

어떠한 어려움이 있든 사람을 미워하면 안 되느니.

이는 압제자로서는 반갑고 고마운 일이지.

크크크…. 바보들.

이런 기독교 정신은 압제에 이용당하게 마련이고

압제자에 이용당하는 그리스도
교인들은 결국 노예로 전락할 뿐이야.

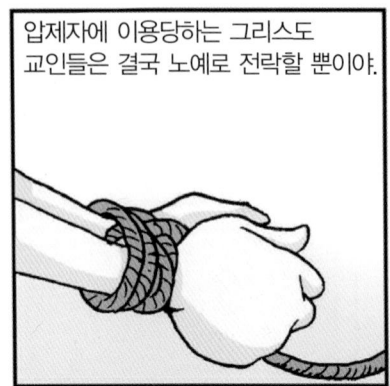

그런데도 교인들은 개의치 않아.

돌았나?

왜냐하면 이 짧은 인생은
하나님 나라로 가기 위한 길목이니
별로 의미가 없단 거지.

교인들은 내세의 구원만
바라볼 뿐

할렐루야~
할렐루야

현세의 삶은 그다지 중요하게 생각하지
않거든.

아버지 저희를
불쌍히
여기시어….

교인들은 그리스도교를
통해서

구원해
주시옵소서….

인간이 상상할 수 있는 가장 이상적이고
완벽한 사회를 만들 수 있을 거라고
얘기하지만

아멘

윽….
뭐 이런 놈이
다 있냐….

말도 안 돼!

루소는 그럴 가능성은
전혀 없다고 반박해.

왜냐하면 참된 그리스도교인의
사회는 이미 인간 사회가
아니기 때문이야.

불가능해!

이런 사회가 혹시 가능하다
하더라도 가장
강력한 것도 아니고

영속적이지도
않아.

지나치게 완벽한 나머지 붕괴의 화근을
이미 안고 있다고 루소는 생각했지.

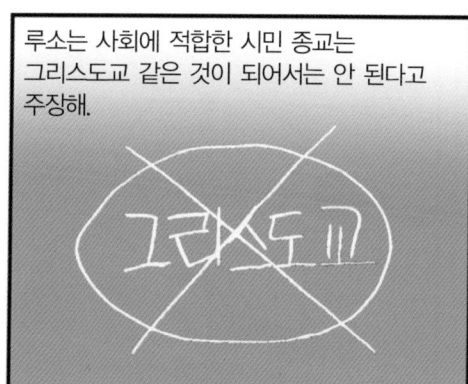

루소는 사회에 적합한 시민 종교는 그리스도교 같은 것이 되어서는 안 된다고 주장해.

진정한 시민 종교 내에서 각 시민은 자신의 의무를 사랑하게 되지.

너무 행복해!

국가로서는 그러한 시민 종교를 갖느냐 못 갖느냐가 매우 중요하단다.

바람직한 시민 종교는 교리가 단순하고

착하게 살자!

설명이나 해설 없이도 명확하게 이해할 수 있어야 해.

착하게만 살면 되는 거야. 쉽네!

그렇다고 통치자가 시민의 머릿속까지 지배할 수 있다는 건 아니야.

각자는 그 외에 자기가 원하는 생각을 가질 수 있어.

통치자는 영적 세계에 관한 한 아무런 권한도 없거든.

통치자는 국민이 선량한 시민이기만 하다면 관여하지 않아야 해.

대신에 시민 종교에 맞는 교의가 필요한데

교의

그것은 정하는 건 통치자야.

믿든지 말든지 교의를 지키고 안 지키고는 시민들의 몫일 뿐이지.

무슨 말도 안 되는 소리! 난 지킬 수 없어!

교의는 종교의 교리로서가 아니라

사회적 행동 기준으로서 의미를 갖게 돼.

도둑질 하지 않기
부모님께 효도하기
약속은 꼭 지키기

이 교의를 지키지 않으면 선량한 시민도 충실한 국민도 될 수 없지.

난 내 맘대로 살 거야!

통치자는 이 교의를 믿지 않는 자를 추방할 수 있는데

이는 불신앙에 대한 처벌이 아니라

반국가적 · 반사회적 행동에 대한 징벌로서야.

에고 ~ ~

이러한 시민 종교에서 금지하는 것이 딱 하나 있어.

금지

바로 불관용이지. 루소는 교리가 시민의 의무와 어긋나지 않는 종교라면

모두 허용해 주어야 해!

불관용이야말로 가장 나쁜 것이라고 보았어.

루소의 주장을 삐딱하게 해석하면 국민의 의무를 다 하도록 하기 위해 통치자는 종교를 활용할 필요가 있다는 내용이야.

믿든 안 믿든 그건 개인의 자유이고

모든 국민은 종교를 가졌으면 한다!

그리고 그때의 종교는 시민 종교의 형태여야 한다는 거야. 그리고 교리가 시민의 의무와 어긋나지 않는다면 모든 종교를 개방해야 한다는 것이지.

어떤 종교를 믿든 관용을 베풀어야 해!

모든 종교를 인정해 주어야 한다는 루소의 주장은 지금은 새로운 게 아니지만

악마!

추방하라!

당시로서는 하늘이 두 쪽 날 정도의 파격적인 발언이었어.

어떻게 저런 생각과 글을!

놀라워….

하나님을 믿느냐 믿지 않느냐에 따라서

세상에 하나님이 어딨어.

뭣이야!

선인과 악인으로 구분되던 때니까.

어이쿠!

같은 그리스도교에서도 구교(가톨릭)와 신교(개신교)가 서로 이단이라고 배척하던 시대에

이단!

누가 할 소리!

루소의 이런 종교관은 도저히 받아들이기 어려운 것이었지.

에밀

한마디로 루소는 신을 모독한 범법자였던 거지.

지금도 종교는 여전히 우리의 삶에서 큰 비중을 차지하고 있어.

옛날만큼은 아니어도 종교 문제는 여전히 민감한 사안이지.

종교를 빌미로 타인에게 해를 끼치는 이론도 많아.

내가 신의 아들이오!

헌금을 많이 내면 천국이 가까울 거요!

종교를 믿든 안 믿든 어떤 종교를 믿든, 모두가 사이좋게 지낼 날이 언젠가는 오겠지.

어떤 종교든 결국 강조하는 메시지는 동일하잖아…. 사랑과 평화 말이야.

원시 기독교

고대의 시대 구분

'원시'라는 말은 '시작하는 처음'이라는 뜻을 가지고 있다. 그러므로 원시 기독교(原始基督敎)란, 기독교가 시작한 초기의 기독교를 의미한다. 다른 말로 표현하자면 초대 교회라고 할 수 있다. 교회의 역사는 고대, 중세, 근세, 현대로 구분하는데 원시 기독교는 이중 고대에 해당하고 고대는 다시 사도 시대, 사도 후 시대, 니케아 회의 시대로 구분된다.

기록과 순교, 전도의 시대

원시 기독교의 근간을 이루었던 사도 바울.

먼저 사도 시대에는 기독교가 소아시아, 로마 등 각지에 전파되었으며 신약 성경이 기록된 시기이다. 많은 사도들이 순교하였고, 바울의 개종과 전도로 세계 종교로 발전하게 되었다. 바울 사도의 전도 중심지였던 로마는 문화의 중심지로서, 교통망이 편리하고 헬라어와 라틴어가 통용되어 기독교 전도에 크게 도움이 되었다. 한편 로마의 노예 매매 제도, 부모의 자녀 살해권 등과 같은 잔인한 풍속은 기독교 성장의 큰 요인이 되기도 했다.

사도 후 시대는 온갖 박해가 이루어졌던 시기였지만 한편으로 전도 활동은 활발하게 이루어졌다. 반면에 헬라 철학, 동방 종교, 유대의 율법주의 등 다른 종교들의 영향을 받게 되어 사상적 큰 혼란을 겪기도 했다.

제도적 종교의 자리로

니케아 회의 시대는 313년의 밀라노 칙령을 통한 기독교 공인으로부터 590년 그레고리우스 1세의 즉위 시까지를 말한다. 니케아 회의는 최초의 세계적인 종교 대회였다. 그동안 하느님의 아들로 이 땅에 온 예수가 신인가 아니면 인간인가를 두고 많은 논쟁이 있었는데, 니케아 회의에서 예수에 대한 신학적인 정의가 내려졌다.

회의에서 '우리는 한 분 하느님, 아버지, 전능자, 보이는 것과 보이지 않는 모든 것을 만드신 자를 믿는다. 또 한 분 주 예수 그리스도를 믿으니, 땅에 있는 것이나 모든 것이 다 그

삼위일체설을 확립한 니케아 회의.

를 통하여 만들어졌다.'고 하여 예수 그리스도를 완전한 하느님으로 주장함으로써 기독교의 기본 교리인 삼위일체설이 확립된 것이다.

기독교의 양지와 음지

원시 기독교는 인간의 영혼을 구원한다는 면에서 신비주의적인 종교와 구별되었으며 이것이 기독교의 궁극적인 승리를 가져왔다. 특히 유대의 일신교 전통을 이어받아 모든 존재의 원천인 단 하나의 절대자를 믿는 것이 다신교를 믿는 것보다 더 합리적이라고 여기게끔 하였다. 특히 그들이 믿는 구세주의 가르침은 단순하면서도 매우 정교하여, 무지한 하층민에서 최고급의 지성인들에게까지 고루 호소력을 발휘하여 세력이 확대될 수 있었다.

그러나 로마의 국교로 인정되고 큰 세력을 얻은 일은 기독교의 장래를 위해서는 긍정적인 영향을 끼쳤겠지만 인류 문명 전체의 입장에서 볼 때는 그렇지 않았다. 로마 제국의 시대가 끝나면 유럽은 중세로 들어서게 되는데, 중세의 유럽은 기독교 중심의 세계관이 철저하게 지배하는 시대로 과학과 인문주의의 입장에서 보면 암흑의 시대라 할 수 있기 때문이다.

06

루소 사회계약론

손영운 글 | 팽현준 그림

01 《사회계약론》을 쓴 사람은 누구일까요?
① 플라톤　　　② 아리스토텔레스　　③ 코페르니쿠스
④ 장 자크 루소　　⑤ 몽테스키외

02 루소가 《사회계약론》에서 주장한 것으로 인간 사회 중에서 가장 기본적이고, 가장 오래된 것이고, 자연적으로 형성된 사회는 무엇일까요?
① 가족　　② 마을　　③ 학교　　④ 도시　　⑤ 국가

03 국가의 의사를 최종적으로 결정하는 최고 권력을 무엇이라고 할까요?
① 인권　　② 민권　　③ 주권　　④ 상권　　⑤ 군권

04 다음 설명에 해당하는 정치 체제는 무엇일까요?
한 사람의 군주가 지배하는 정치 형태이다. 다른 말로는 '왕정'이라고 한다.
① 민주 정치　　② 군주 정치　　③ 의회 정치
④ 신하 정치　　⑤ 국민 정치

05 다음은 《사회계약론》에 나오는 정부에 대한 설명입니다. 틀린 것을 고르세요.
① 정부는 일반 의지가 지시하는 방향에 따라 힘을 발휘한다.
② 정부는 실제 나라 행정을 책임지는 조직이다.
③ 정부는 주권자의 대리인 역할을 수행한다.
④ 정부는 주권자와 국가의 중간에 위치하여 양쪽의 심부름을 한다.
⑤ 정부와 국가는 같은 뜻을 가진 말이다.

06 《사회계약론》에 대한 설명입니다. 틀린 것을 고르세요.
① 민주와 공화의 개념이 사회에 뿌리를 내리는 데 큰 공헌을 했다.
② 인간의 자유와 평등을 강조했다.
③ 당시 왕이나 귀족 그리고 종교 지도자들로부터 큰 칭찬을 받았다.
④ 공익과 협동에 바탕을 둔 공동체를 보여 주었다.
⑤ 프랑스 대혁명을 주도한 혁명 세력의 교과서 역할을 했다.

07 루소는 국가를 형성하기 위해 사람들이 무엇을 한다고 주장했나요?

08 다음은 무엇에 대한 설명일까요?

- 모든 국민이 이것의 간섭을 받는다.
- 대통령도, 왕도, 국무총리도 모두 이것 아래에 있다.
- 가장 높은 단계의 것을 헌법이라고 한다.

---

09 루소는 공동체 구성원 모두를 위한 의지를 무엇이라고 했나요?

_____

_____

_____

_____

_____

10 루소가 말하는 '사회계약'이란 무엇일까요? 간단히 설명하세요.

통합교과학습의 기본은 세계사의 이해,
세계대역사 50사건

제대로 알차게 만든 교양 세계사 만화!
우리 집 최고의 종합 인문 교양서!

★서양사와 동양사를 21세기의 균형적 시각에서 다룬 최초의 역사 만화
★세계사의 핵심사건과 대표적 인물을 함께 소개해 세계사의 맥락을 짚어 주는 책
★시시각각 이슈가 되는 세계사 정보를 지식이 되게 하는 재미있는 대중 교양서

김창회 외 글 | 진선규 외 그림 | 232쪽 내외